ALESSANDRA VASQUES **AMANDA S. RANGEL**
ANDRÉIA RIBAS **ARTHUR SHINYASHIKI**
BERNADETE MORAES **CASSIO CANALI**
CHRIS OLIVEIRA **DENISE FERNANDES DA CRUZ**
FABIO PEREIRA **DR. FÁBIO TREVISAN**
FLAVIA MARDEGAN **FREDERICO CALDAS**
GLÁUCIA GOMES **HELOIZA RONZANI**
HIPNETO **LEONARDO MACK**
LUANA GANZERT **LUCINHA SILVEIRA**
MARCO CASTRO **MARCOS FRAZÃO**
MARCOS FREITAS MENDES **MARIN BEBOLD**
ROSA IZELLI **SUSANA CINTRA**
TAMIRES CRUZ **TERESA CRISTINA LOPES ROMIO ROSA**

seja (im)perfeito

PREFÁCIO DE ROBSON HAMUCHE

Assuma o poder de construir seu futuro
e tenha resultados em todas as áreas da vida

ALESSANDRA VASQUES **AMANDA S. RANGEL**
ANDRÉIA RIBAS **ARTHUR SHINYASHIKI**
BERNADETE MORAES **CASSIO CANALI**
CHRIS OLIVEIRA **DENISE FERNANDES DA CRUZ**
FABIO PEREIRA **DR. FÁBIO TREVISAN**
FLAVIA MARDEGAN **FREDERICO CALDAS**
GLÁUCIA GOMES **HELOIZA RONZANI**
HIPNETO **LEONARDO MACK**
LUANA GANZERT **LUCINHA SILVEIRA**
MARCO CASTRO **MARCOS FRAZÃO**
MARCOS FREITAS MENDES **MARIN BEBOLD**
ROSA IZELLI **SUSANA CINTRA**
TAMIRES CRUZ **TERESA CRISTINA LOPES ROMIO ROSA**

seja (im)perfeito

PREFÁCIO DE ROBSON HAMUCHE

Assuma o poder de construir seu futuro
e tenha resultados em todas as áreas da vida

Diretora
Rosely Boschini

Gerente Editorial
Rosângela de Araujo Pinheiro Barbosa

Editora Júnior
Carolina Forin

Produção Gráfica
Fabio Esteves

Coordenação Editorial
Camile Mendrot | Ab Aeterno

Assistência Editorial
Luary Moissani | Ab Aeterno

Edição de texto
Cláudio Blanc | Ab Aeterno

Preparação
Denise Pasito Sau | Ab Aeterno
Marina Garcia | Ab Aeterno

Capa
Vanessa Almeida

Projeto Gráfico
Domitila Carolino | Olé Estúdio

**Adaptação de projeto gráfico
e diagramação**
Ana Clara Suzano | Ab Aeterno
Priscila Wu | Ab Aeterno

Revisão
Livia Pupo | Ab Aeterno

Copyright © 2022 by Alessandra Vasques, Amanda S. Rangel, Andreia Ribas, Arthur Shinyashiki, Bernadete Moraes, Cassio Canali, Chris Oliveira, Denise Fernandes da Cruz, Fabio Pereira, Dr. Fabio Trevisan, Flavia Mardegan, Frederico Caldas, Glaucia Gomes, Heloiza Ronzani, HipNeto, Leonardo Mack, Luana Ganzert, Lucinha Silveira, Marco Castro, Marcos Frazão, Marcos Freitas Mendes, Marin BeBold, Rosa Izelli, Susana Cintra, Tamires Cruz, Teresa Cristina Lopes Romio,Rosa

Todos os direitos desta edição são reservados à Editora Gente.
Rua Natingui, 379 - Vila Madalena
São Paulo, SP- CEP 05443-000
Telefone: (11) 3670-2500
Site: www.editoragente.com.br
E-mail: gente@editoragente.com.br

Dados Internacionais de Catalogação na Publicação (CIP)
Angélica Ilacqua CRB-8/7057

Seja imperfeito : assuma o poder de construir seu futuro e tenha resultados em todas as áreas da vida / organizado por Editora Gente. - São Paulo : Gente Autoridade, 2022.

ISBN   978-65-88523-56-8

1. Desenvolvimento pessoal 2. Sucesso

22-4994   CDD 158.1

Índices para catálogo sistemático:
1. Desenvolvimento pessoal

NOTA DA PUBLISHER

Estamos presenciando um momento da história da humanidade em que as pessoas estão vivendo de modo caótico em várias esferas de sua vida. Carreira, relacionamentos, negócios, saúde mental e física, falta de autoamor, escassez de propósito... para onde olhamos, há desequilíbrio.

O impacto disso está à vista, nas redes sociais, nos noticiários: aumento do índice de desemprego, de ansiedade, de Burnout, de divórcios, de negócios fechados, enfim, uma busca desenfreada por uma vida equilibrada que resulta em frustração e um esgotamento geral. E a pergunta que fica é: afinal, como algumas pessoas conseguem ter uma vida perfeita e outras não? É isso que vamos aprender nesta leitura.

Em *Seja (im)perfeito*, descobrimos que o segredo para conquistar uma vida em que há harmonia em todos os aspectos importantes está em conhecer e saber aplicar algumas ferramentas-chave que podem trazer maior leveza, assertividade e resultados em nossa jornada. Ser feliz no casamento, ter sucesso na carreira, conseguir aproveitar o melhor da vida e com boa saúde é, sim, possível a partir do momento que nos munimos de conhecimento.

Nesta obra, somos presenteados com uma abordagem 360°, que visa nos ajudar a transformar a nossa vida como um todo. A partir de lições diretas, dinâmicas e ágeis, ao ler este livro, você poderá iniciar imediatamente uma transformação que trará a mudança que você sempre desejou, mas nunca conseguiu alcançar.

Prepare-se para aprender com profissionais que são referência de excelência em suas áreas e permita-se despertar o poder de construir o futuro que você merece ter.

Boa leitura!

Rosely Boschini
CEO e Publisher da Editora Gente

SUMÁRIO

PREFÁCIO	**8**
AUTODESENVOLVIMENTO	**11**
Alessandra Vasques	12
Amanda S. Rangel	18
Arthur Shinyashiki	26
Chris Oliveira	32
Gláucia Gomes	40
Heloiza Ronzani	48
Luana Ganzert	56
Lucinha Silveira	64
Rosa Izelli	74
ESTILO DE VIDA E SAÚDE	**83**
Andreia Ribas	84
Bernadete Moraes	92
Fabio Pereira	100
Dr. Fábio Trevisan	108
HipNeto	116
Tamires Cruz	124
Teresa Cristina Lopes Romio Rosa	132
NEGÓCIOS E DESENVOLVIMENTO PROFISSIONAL	**141**
Cassio Canali	142
Denise Fernandes da Cruz	152
Flavia Mardegan	158
Frederico Caldas	166
Leonardo Mack	174
Marco Castro	182
Marcos Frazão	190
Marcos Freitas Mendes	198
Marin BeBold	206
Susana Cintra	216

PREFÁCIO

Não é de hoje que muitos de nós nos sentimos sobrecarregados. Sempre cheios de tarefas, ambições e projetos, queremos dar conta de tudo, queremos dar conta do mundo. Além da carreira, que sempre nos toma muito tempo e energia, também temos a família, a saúde e mal nos sobra tempo para o lazer. Com tudo isso, ficamos pesados e sentimos o reflexo nas nossas relações, na qualidade de vida e, por fim, na nossa história.

Eu tive um mestre que me presenteou com um ensinamento muito importante – e essa é uma história que gosto muito de contar. Eu vivia uma fase em que estava exatamente assim: querendo dar conta de tudo, sobrecarregado com projetos de carreira e de vida. Um dia, ao encontrar esse mestre, só de olhar para mim, ele disse: "Hamuche, você está travado, pesado, seu corpo está demonstrando isso. Você vai morrer logo". Conformado com a situação, não pude negar que ele estava certo. Foi aí então que me disse: "Assuma as suas imperfeições, desista das certezas. Você não precisa dar conta de tudo. Na sua maior dor, pode estar o seu maior aprendizado. Na sua imperfeição, pode estar sua melhor qualidade". Isso foi algo que me fez refletir muito. Por fim, meu mestre me aconselhou: "Vou ensiná-lo uma maneira rápida e fácil de deixar a vida mais leve: reverencie a vida, reverencie as suas imperfeições, reverencie a sua vulnerabilidade". A princípio, eu tive muitas dúvidas, não entendia o que ele queria dizer com aquilo. Como eu poderia reverenciar esses aspectos e como isso me ajudaria?

Foi então que entendi que, quando desistimos de nossas certezas e assumimos nossas imperfeições, a vida fica mais leve, pois não temos mais expectativas a atender, nem nossas nem das outras pessoas. O nível de exigência diminui. Por fim, disse para meu mestre: "Eu reverencio a minha vida como ela é. Desisto das certezas e desisto da perfeição. Eu faço o que eu posso, eu transformo o que eu consigo. E assim evoluo, fazendo meu melhor para tudo e para todos".

Lembre-se de que nossa vida é como uma moeda em que, nesse caso, uma das faces é o poder que temos e a outra é a autorresponsabilidade. Se você ficar culpando as pessoas e os fatos pela sua vulnerabilidade e pela sua imperfeição, você transfere o seu poder para elas. Mas, quando aceita isso, você toma as rédeas da sua vida e então pode fazer dela o que bem entender.

Essa é a lição que precisamos aprender. Baixar as expectativas, acolher as imperfeições, entender que, enquanto estivermos fazendo algo por nós e pelo próximo, ainda que não seja o ideal, vamos aprender e vamos construir o nosso caminho. Essa consciência é o que vai nos tirar do comodismo e nos levar a tomar as atitudes necessárias para começar a construir o futuro que desejamos.

Neste livro, você vai aprender, com os 26 autores, estratégias simples e práticas que podemos iniciar ainda hoje nas diversas áreas de nossa vida para que nosso caminho seja mais leve, para que possamos reverenciar nossas escolhas e garantir para as gerações que virão um mundo mais saudável, feito de relações mais tranquilas tanto no âmbito pessoal quanto no profissional.

Para mim, é uma grande honra prefaciar este livro, pois, assim como todos os autores presentes aqui, tive a Rosely Boschini como uma grande mestra e mentora e a Editora Gente como uma verdadeira escola. Por isso, sei o quanto muda a vida de um autor saber colocar em palavras os conhecimentos e as experiências de vida para fazer a diferença no mundo.

Passo a palavra, agora, para esses nomes incríveis que levarão você, leitor, a uma jornada transformadora. Você está nas mãos dos melhores! Reverencie a vida e faça o futuro acontecer!

Boa leitura!

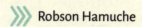

Robson Hamuche

AUTODESENVOLVIMENTO

ALESSANDRA VASQUES

Formou-se em Direito, mas foi no trabalho voluntário que descobriu sua vocação: a missão do autoconhecimento. Hoje, é escritora, mentora, *master practitioner* em programação neurolinguística e entusiasta do desenvolvimento pessoal, dividindo sua percepção de mundo com aqueles que se conectam com sua identidade.
Instagram: @identidadealevasques

Taty Farias

Seja dono de si para seu futuro ser realmente seu

O futuro só existe considerando-se o presente, pois é definido pelo que é feito no agora. Contudo, o maior problema para a construção do futuro que desejamos é a falta de iniciativa para realizar, de fato, aquilo que sonhamos. Apenas quando sabemos o que queremos, aliado às nossas virtudes e falhas, é que podemos ter clareza sobre o que aceitamos fazer para atingirmos nosso objetivo. Além disso, é fundamental compreender que nossas falhas são fruto de nossas ações, ou da falta delas. Isso nos leva a assumir o controle sobre tudo o que fazemos. Desse modo, seremos capazes de reconhecer que as responsabilidades são nossas e não dos outros.

Esperar que outros resolvam problemas que estão sob nosso domínio é a receita para a insatisfação e a inércia. Essa postura faz com que, em determinadas situações, o sentimento de injustiça tome o lugar do movimento em direção àquilo que se deseja. Na verdade, atribuir a responsabilidade de nossos problemas a outros é achar que o mundo deve se mover em nossa direção, enquanto, na verdade, nós é que devemos ir em direção a tudo o que o mundo pode nos proporcionar.

A inação é outro fator que nos impede de modelar o futuro que almejamos. Mesmo com o conhecimento do que se deseja e do caminho para atingir tal objetivo, muitas vezes procrastinamos, esperamos pelo dia ideal, pelo melhor momento – como se o melhor e único momento não fosse o agora. Acabamos por nos esquecer de que o futuro é um agora que ainda não chegou e reclamamos que os resultados parecem estar sempre distantes, quando, de fato, não estamos indo em direção àquilo que desejamos.

As pessoas emaranhadas nesses problemas – responsabilizar os outros pelo que é nossa atribuição e fruto de nossa inação – estão, quase sempre, tomadas pela ansiedade e pelo vitimismo. E esses são sentimentos que se retroalimentam. O vitimismo resulta da percepção de que o poder de gerar a mudança desejada está nas mãos de outras pessoas ou de que depende de circunstâncias inalcançáveis, as quais impedem a caminhada rumo à realização pessoal. O vitimismo traz a sensação de impotência, incapacidade e sufocamento, que, por sua vez, gera ansiedade: o estado de se estar sempre esperando uma oportunidade que, na verdade, cabe a nós produzirmos.

Se somos vítimas de alguém, esse alguém somos nós mesmos. Nós é que devemos criar as circunstâncias que nos permitam crescer e ir em direção aos nossos objetivos. Apesar da realidade social em que estamos inseridos, que pode ser mais ou menos favorável, somos donos de nossa vontade. A falta dessa percepção gera em muitos a sensação de que são apenas uma peça num tabuleiro, movida conforme o desejo de uma força externa. A eles o que resta é seguir com as intermináveis tarefas "obrigatórias", com o atendimento às regras da vida social. Por conta disso, argumentam não ter tempo para cuidar de questões não urgentes. Não percebem que viver com intencionalidade, ou seja, sendo agentes de sua própria história, e não apenas cumprindo obrigações, é o que há de mais importante na vida.

Ao longo dos meus vinte anos de atendimentos e trabalho voluntário, percebi que muitas pessoas permanecem reféns dessa situação por dois motivos principais: o medo do desconhecido e uma visão pessimista de mundo. A obrigação de agir conforme o esperado, mesmo que não estejamos verdadeiramente satisfeitos com isso, leva ao conformismo que, por sua vez, mina as energias e a atenção necessárias à busca daquilo que realmente se deseja.

Embora nos afaste de nossa meta, essa atitude proporciona segurança, já que nos mantém longe de julgamentos e nos leva a trilhar caminhos convencionais. Dessa forma, seguimos pelo caminho que nos parece mais protegido, mais garantido, ou seja, permanecemos naquilo que nos parece cômodo. Na maioria das vezes, porém, isso está longe de ser o que realmente queremos, o que tampouco possibilitará a realização de nossos objetivos.

A isso se alia uma visão pessimista de mundo, pois acreditamos que as falhas e aquilo que entendemos como derrotas são comprovantes de nossa incompetência e provas de que não deveríamos ter saído de nossa zona de conforto. Assim, não percebemos que as falhas e os erros são nossos melhores professores e que, muitas vezes, as melhores oportunidades surgem do que consideramos lapsos, defeitos, imperfeições.

A maioria das coisas que acontecem em nossa vida são resultado de um conjunto de fatores, muitos deles distantes de nossa capacidade de controle. No entanto, isso não significa que não devamos aprender a tirar o melhor proveito de cada situação. É preciso sermos donos de nós mesmos. Conforme observou Anne Wilson Schaef, destacado por Julia Cameron, em *O caminho do artista: Desperte o seu potencial criativo e rompa seus bloqueios* (Sextante, 2017), "você precisa tomar posse dos acontecimentos da sua vida para poder possuir a si mesmo."

Ser dono de si mesmo é saber que a montanha que está adiante é desconhecida, mas apenas por enquanto, pois, a partir do momento em que damos o primeiro passo com firmeza e iniciamos a escalada, o que vai ficando para trás deixa de ser oculto e passa a fazer parte de nosso arsenal de conhecimento. E isto é o que somos: um conjunto de vivências e de conhecimentos. Quanto mais conhecemos, quanto mais tomamos posse de quem somos, mais podemos usar as experiências a nosso favor.

Pensando em tudo isso, desenvolvi uma estrutura simples para que, entre o sonho e a realidade, possamos assumir o poder de construir o que desejamos. E esse esquema consiste em: intenção, ação e foco.

1» COLOQUE INTENÇÃO NO SEU SONHO

Um sonho que não buscamos concretizar é apenas uma fantasia. Um sonho real nos move na direção de sua realização. Mais do que um desejo, um sonho verdadeiro é uma necessidade e, como tal, exige critério e sabedoria para que seja atingido. Por isso, é fundamental conhecer os detalhes envolvidos em sua execução e traçar muito bem o plano que nos levará a atingir o nosso objetivo. Com base nisso, concebemos o processo, desenhando metas e prazos e descobrimos quais recursos poderão contribuir para a concretização desse projeto.

2» DEPOIS DE DESENHAR SEU PLANO, AJA

Ótimo, temos um projeto. Agora, é necessário tirá-lo do papel. Ao longo do processo, certamente será necessário fazer alguns ajustes. O importante é aplicá-los e continuar em movimento. Essas adaptações e aquisições de subsídios materiais e teóricos são fundamentais. A experiência adquirida ao realizar as adequações para ajustar o plano pode se tornar insumo fundamental para outro projeto.

3» MANTENHA O FOCO

Durante todo o processo, jamais se esqueça de que a intenção deve levar à ação, que, por sua vez, irá produzir a transformação. Não há outro caminho, e, se nele há cânions e ladeiras, somos nós quem devemos construir as pontes e os mecanismos que nos levarão a vencer os obstáculos. O foco não deve estar nos entraves, mas sim no que há no final, naquilo que conquistaremos ao transpor os reveses que sempre surgem ao longo do caminho. Além disso, deve-se considerar as consequências, para si mesmo e para os demais, dessas ações e, a partir disso, validar ou não tais ações. E, como prêmio adicional, teremos demarcado uma trilha que poderá ser seguida por outros. Nossa transformação pode mudar o mundo – e esse é um ótimo objetivo!

Desenvolvi esse método ao longo de minha trajetória, com base nas ações que permitiram a concretização de meus sonhos. Minha vida é pautada pela congruência, pela harmonia entre o que eu desejo e os caminhos que devo percorrer para atingir meus objetivos. Um grande exemplo disso foi o meu primeiro livro, *Identidade – Qual é a sua?* (Labrador, 2021), um projeto movido por forte intenção, mas que eu ainda não sabia como colocar em prática. Afinal, apesar de ser leitora assídua, eu não tinha conhecimento sobre como os livros vêm ao mundo. Contudo, tinha o desejo de fazê-lo acontecer e agi em direção a isso.

Comecei com as ferramentas que possuía. Estudei, tanto acerca do conteúdo sobre o qual eu escreveria quanto sobre os processos de edição de um livro, e isso enriqueceu meu conhecimento vinculado a um assunto que eu já dominava – o que, por si só, já teria valido muito a pena. Mas eu estava focada: cerquei-me de pessoas altamente competentes e conhecedoras do meio editorial, dediquei-me, saí da minha zona de conforto e, apesar dos percalços, não desisti até concretizar o meu objetivo.

O resultado dessa experiência não poderia ser outro: realizei meu sonho e, ao longo do processo, aprendi inúmeras coisas que poderei usar em várias outras esferas de minha vida. Isso sem falar na sensação de liberdade ao constatar que fui capaz de fazer o que eu queria. Se tivermos foco e nos valermos de estudos que nos levem a descobrir as melhores práticas e ferramentas, certamente realizaremos nossas aspirações.

Merecemos viver nossa vida com maestria. Cada indivíduo é importante no mecanismo da natureza. Você não é apenas um número, alguém que está aqui para cumprir regras com as quais, muitas vezes, nem mesmo concorda. Somos mais que a aceitação das normas; somos desejos que merecem a busca de sua realização. Todos temos o direito de conhecer nosso verdadeiro lugar na teia da vida, de sabermos o que aceitamos ou não. Só assim seremos conscientes daquilo que verdadeiramente queremos e capazes de impulsionar nossa intenção rumo a essa realização. É ela que nos leva a agir e a descobrir que nosso propósito é mais forte que as imposições externas.

Busque conhecer seu potencial interno e manifeste-o. Ainda mais fundamental do que conhecer é deixar que as coisas nos conheçam, porque todos nós somos o mundo, algo indivisível. Olhe-se no espelho e veja ali seu próprio oxigênio. Compreenda e mostre ao mundo a sua verdadeira identidade.

E isto é o que somos: um conjunto de vivências e de conhecimentos. Quanto mais conhecemos, quanto mais tomamos posse de quem somos, mais podemos usar as experiências a nosso favor.

Amanda S. Rangel

Casada com Rafael Rangel, empresária, psicóloga, grafóloga, pastora, master coach, especialista em perfil comportamental e palestrante. Formada em Gestão Financeira, Gestão de Recursos Humanos e Psicologia. Possui certificação em contabilidade e MBA em Gestão em Controladoria, Finanças e Auditoria pela Fundação Getúlio Vargas (FGV) e mais duas pós-graduações em Grafologia e Neuroescrita e Constelação Familiar e Organizacional. É sócia-diretora da Evolution Consultoria & Treinamentos Ltda.

Instagram: @amanda.srangel
LinkedIn: @amanda-da-silva-rangel
TikTok: @amanda.srangel

Samanta Barbosa

Permita-se ser imperfeito!

Passei a vida inteira buscando me incluir no mundo, sempre me senti rejeitada e excluída e cresci em um lar em que existia depressão, violência física, abuso sexual e escassez financeira. Com esse cenário de exclusão, eu tive dois momentos em que perdi o controle e precisei ter o poder de assumi-lo de volta. O primeiro foi quando eu ainda era uma adolescente usuária de drogas e sem ensino médio completo, o que resultou em uma adulta que conseguiu, por meio de internação e grupos de apoio, sair das drogas e fazer supletivo. Como consequência, cursei, também, a faculdade em finanças e MBA, me tornando uma executiva de sucesso.

O segundo marco foi quando cheguei no mais profundo abismo, após inúmeras tentativas de engravidar, enfrentando a fila de adoção e degenerações na retina, no joelho e na cervical, me vi completamente doente. Com formigamentos no corpo e síndrome do pânico, a cada crise parecia que minha alma saía do corpo, me vi completamente sem chão e em um estado depressivo avançado, sem nenhuma visão para o futuro. Foi por causa dessa situação que tentei o suicídio, aos 34 anos de idade, sem aguentar mais as dores físicas e mentais. Internada no hospital, fiz uma reflexão desses dois marcos de perda de controle e pensei: como cheguei nesse estágio depressivo? Por que sou tão imperfeita? Por que fiz isso comigo? Tomada por um medo de ter meu caminho encerrado ali mesmo, enxerguei o meu propósito e disse para mim mesma: se eu conseguir me levantar daqui, será para ajudar as pessoas a se sentirem incluídas e a vencerem o pânico e a depressão. Então, decidi assumir o poder de construir o futuro que eu desejava.

Sendo assim, fui estudar Psicologia, Grafologia e coaching, mas não foi tão simples chegar aí. Para se chegar a essa decisão, foi preciso olhar para dentro de mim primeiro. Metaforicamente, foi necessário me ver como uma casa, onde, primeiramente, só se viam entulhos que precisavam ser retirados para que a casa, limpa, pudesse ser (re)construída. Talvez você se veja assim, com esse entulho emocional acumulado, que, se não for retirado, começará a se manifestar no corpo, em doenças físicas e emocionais que antes não existiam, como o mofo, as teias de aranha e os insetos que vão se acumulando em um cômodo onde não se entra ou não se limpa há tempos. Esse entulho emocional, como mencionado, prejudica a saúde, pois, saúde, segundo a Organização Mundial da Saúde (OMS), é algo que vai além do corpo, "é um estado de completo bem-estar físico, mental e social e não apenas a mera ausência de doença ou enfermidade".

Na maioria das vezes, não sabemos lidar com a exclusão, com a dor ou com o trauma. Não encontramos meios de entrar no cômodo onde a dor se alojou. Isso transforma uma pequena angústia em um monstro, com o qual não sabemos lidar ou enfrentar. O que antes eram sintomas sem muita importância, se transformam em manifestações físicas e em pensamentos enlouquecedores.

A doença emocional não tratada traz comprometimentos, pois interfere na capacidade de trabalhar, estudar, comer, dormir e realizar outras atividades cotidianas, afetando ainda o sono, a fala, as capacidades de pensamento, a memória, o raciocínio lógico, a organização emocional e muitas outras funcionalidades do nosso corpo.

Refleti sobre como cheguei nesse estágio depressivo e me deparei com a armadilha da comparação, pensando em quantos realizavam sonhos e eu não. Nessa fase, não sabemos mais o que esperar do futuro. Podemos começar a comparar nossas realidades às de outras pessoas e nos sentirmos inferiores, impotentes, acreditando que a vida do outro é perfeita e a nossa não. Esse estado é ainda mais agravado se a pessoa se sente julgada por não ser capaz de tomar decisões.

Quando somos invadidos por uma série de sentimentos angustiantes, parece que tudo está fora do lugar, que somos imperfeitos. A pessoa nessa situação deseja ser compreendida, mas se sente desamparada e criticada. Acabamos por perder as forças e nos vemos tomados apenas pelo desejo de que a dor acabe. Por vezes, até pensamos em "retirar o entulho da casa", porém cedemos ao medo do vazio e do recomeço. Sentimo-nos impotentes e fragilizados; acabamos chorando sozinhos, enquanto sorrimos por fora, fingindo estar tudo bem.

A depressão resulta na perda da capacidade de sentir alegria ou de ter prazer com pequenas coisas e situações. Leva a um mal-estar persistente, aumenta ou reduz o apetite, acarreta problemas digestivos, altera o peso, produz fadiga constante. A raiva, a inquietação e a irritabilidade acabam por se instalar, assim como a autocrítica exagerada, a agitação, a dificuldade de concentração e os distúrbios do sono.

Mergulhados nesse desequilíbrio físico, emocional e espiritual, na maioria das vezes, nos sentimos um fardo. Acreditamos estar atrapalhando e nos cansamos com o fato de sermos encarados como doentes, problemáticos ou depressivos. Assim, cedemos ao perigo do isolamento e, ao não querermos nos abrir nem importunar ninguém, deixamos nossa "casa" abandonada.

A Organização Mundial da Saúde (OMS) divulgou, em 17 de junho de 2022, a maior revisão feita sobre a saúde mental. De acordo com o levantamento, quase 1 bilhão de pessoas viviam com transtornos mentais em 2019, sendo 14% adolescentes. Desafios globais como a desigualdade social, a pandemia de covid-19, as guerras e a crise climática são ameaças à saúde global. Segundo o estudo, a depressão e a ansiedade aumentaram mais de 25% apenas no primeiro ano da pandemia. Outros dados ainda mostram que o suicídio foi responsável por mais de 1 em cada 100 mortes e 58% ocorreram antes dos 50 anos. O relatório também aponta que pessoas com condições severas de saúde mental morrem, em média, de 10 a 20 anos mais cedo do que a população em geral, principalmente devido a doenças físicas evitáveis.

Por esses dados, vemos como é importante buscar ajuda. Isso não significa que tudo será perfeito, mas a ação traz progresso. Na maioria das vezes, estamos aprisionados a crenças limitantes e a padrões seguidos desde a infância que sequer sabemos que impedem uma mudança de vida. A primeira pergunta que faço a um novo paciente é se ele quer passar pelo processo. É muito importante querer a mudança, pois, por mais que existam excelentes profissionais e tratamentos adequados, se a pessoa não se abrir e decidir mudar, não adianta. Para construir, é necessário, por vezes, demolir o que havia antes. E esse processo se inicia com o reconhecimento e a aceitação de nossas próprias feridas, de nossos próprios traumas e de nossas próprias dores. Ou seja, com o reconhecimento de nossa própria imperfeição.

E é na imperfeição que o amor e a empatia curam as doenças da mente, de modo que possamos viver o futuro que desejamos, equilibrando corpo, alma e espírito, e, também, para que levemos uma vida mais tranquila. É preciso respirar fundo e pegar leve. Quem disse que tudo seria perfeito? Chega de absorver críticas e autocríticas destrutivas e paralisantes. A falta de autocuidado impede que se façam planos, que se tracem metas e objetivos. Por isso, muitos acabam vivendo o sonho de outros. Quantas vezes nós nos dedicamos a amar o próximo e nos esquecemos de nós mesmos?

Está na hora de nos amarmos e de compreendermos que nosso futuro só depende de nós, da nossa vontade de transformar um sonho em realidade. É preciso pensar mais em nós mesmos, entrar em cada cômodo da nossa alma e se livrar do que for desnecessário, abrindo, assim, espaço para nos reconstruir.

Claro que vai doer, mas crescer dói. Nesse processo é importante equilibrarmos corpo, alma e espírito, pois somos o resultado desses três elementos. Uma alma não anda sozinha; um espírito sem fé não funciona e um corpo sem alma não é nada, da mesma forma que uma casa sem móveis é quase inabitável. Temos de buscar o equilíbrio de forma leve, sem aquela cobrança que adoece, com muito amor e empatia por nossa história, pelo nosso processo de cura. Respeite-se! Permita-se ser imperfeito!

É possível, de fato, construir o futuro que desejamos. Mesmo as pessoas que estão passando por um processo de dor, ou as que se comparam aos outros, ou aquelas que já desistiram de viver o sonho podem moldar um amanhã conforme sua vontade. Ao longo da minha trajetória, passei a utilizar uma técnica que equilibra corpo, alma e espírito e que me ajudou a assumir o poder de construir o futuro que tanto desejava e quero compartilhá-la com você.

A técnica começa pelo amor. Imagine um cômodo da casa que está escuro e, de repente, se abrem as cortinas e a luz entra, essa luz é o amor. É como o filme com Will Smith, *Beleza Oculta* (2016), que o personagem Amor transforma o cenário. Todo mundo percorre um caminho para o futuro, e é necessário trilhá-lo com equilíbrio e, se tem algo que faz bem, é o amor. O amor é a construção do ser humano. Todo sentimento bom nasce do amor. Todo ser humano necessita amar e ser amado. Quando uma pessoa ama, é capaz de perdoar, de ajudar o próximo, de decidir amar a si mesma outra vez. Todo ser humano é digno desse sentimento. Por isso, você deve definir tudo o que o amor vai representar em seu futuro.

Faça uma lista do que você mais ama em si mesmo, suas melhores características. Em seguida, elenque o que mais ama fazer e, por último, redija uma relação do que mais ama nas pessoas e no mundo ao seu redor. Nesse momento, é necessário ser gentil consigo: lembre-se da empatia e pegue leve, deixando as críticas de lado. Se fizer isso sempre, perceberá que o amor, a bondade e o autodomínio passarão a estar presentes e isso equilibrará corpo, alma e espírito.

Passamos, nesse momento, para a humildade. Imagine outro cômodo, só que dessa vez sujo, agora que a luz entrou (o amor) você consegue ver e reconhecer a sujeira. Este é o poder da humildade, implica em reconhecer que precisamos de ajuda, em tirar a sujeira e em depender uns dos outros, já que, às vezes, para fazer uma boa faxina é preciso chamar toda ajuda possível. Implica, igualmente, em reconhecer que erramos e que, no nosso próprio tempo, podemos perdoar a nós mesmos e aos outros. Perdoar é uma decisão e não um sentimento que precisamos nos preparar para desenvolver. Por isso, é importante deixar o ego de lado e ter humildade. Entender que quem feriu você é também vítima de outra vítima. Desse modo, ao compreender a dor de quem o machucou, você poderá desenvolver a capacidade de amar. A atitude de perdoar é verdadeiramente libertadora.

Assim, convido você a fazer mais duas listas, uma de ajuda e outra de perdão. Na lista de ajuda, coloque o nome de quem pode ajudar você, e, na lista de perdão, escreva o que ou quem você precisa perdoar. Então, repita em voz alta e de coração aberto o nome da pessoa que está perdoando e peça socorro a uma das pessoas da sua lista de ajuda. A humildade gera o perdão e abrir essa porta equilibra corpo, alma e espírito.

Quando perdoamos, fazemos com que toda a amargura saia de dentro de nós, possibilitando a cura de doenças de origem psicossomática. Essa ideia foi até mesmo discutida na reportagem "Cientistas investigam como espiritualidade pode ajudar a saúde do corpo", publicada no site da *BBC Brasil* em maio de 2021.

Essa técnica foi transformadora na minha vida. Por dentro só havia entulho, escombros, cacos de vidro. Nada fazia sentido. Eu nem sequer sabia onde ficavam minhas portas e janelas para os cômodos. Estava tudo tão escuro. Eu não conhecia o amor, e amar a mim mesma era algo que me parecia ser egocêntrico, vaidoso ou arrogante.

Decidi, então, que eu mesma seria amor e que iria gerar amor. Foi assim que descobri o quanto poderia ajudar outras pessoas. Comecei a estudar

Psicologia para me aprimorar e passei a me vestir de palhaça para levar o amor e a alegria nas áreas de oncologia dos hospitais. Quando entrei no cômodo e deixei o amor entrar, uma luz me invadiu e acabou com toda a escuridão.

Além disso, comecei a cuidar do meu corpo, da minha alma e do meu espírito. Eu tinha muitas dores e traumas e percebi que agora havia compreendido a linguagem do amor, precisava me perdoar e perdoar a quem me feriu. Fui abusada sexualmente, sofri traições e, durante muito tempo da minha vida, queria ter um futuro, mas via isso como algo distante. Pior: parecia que eu só atraía coisas ruins. Contudo, quando fiz as listas de perdão e de ajuda, eu realmente me senti livre. Tive a sensação de que toneladas de lixo foram retiradas de dentro de mim.

O que poderia ter sido uma história triste e infeliz transformou-se em uma experiência de sucesso e de ressignificação. Fiz do limão uma limonada que, até hoje, já ajudou milhares de pessoas a se descobrirem e a se libertarem, reconfigurando o seu futuro.

Ao aplicar essa técnica, você será capaz de entender que está tudo bem ser imperfeito, que você pode amar a si mesmo do jeito que é e viver de forma suave e leve. Quando estiver comparando a sua vida à de outra pessoa, terá o controle de olhar para si mesmo, de ver os seus sonhos e de focar neles. Desenvolverá a habilidade de, diariamente, perdoar-se e pedir perdão, bem como a de compreender que você também comete falhas e que o mais importante é ser humilde, procurando aceitá-las e corrigi-las. Toda a culpa do passado se esclarecerá, e você estará livre para escrever uma nova história. Passará a acreditar mais em si próprio, em sua capacidade; descobrirá seus talentos, o que mais ama fazer; terá mais confiança e fé em Deus ou naquilo que você acredita. Passará a querer realizar seus sonhos e a ter controle sobre suas emoções. Passará, ainda, a olhar o seu próximo como um ser humano que erra e acerta, exatamente como você. Saberá que imperfeições existem e que o importante é o que você faz com elas.

Existem entulhos que são traumas, dores, mas que podem ser removidos com amor e empatia. Permita-se escrever uma nova história. Você, e mais ninguém, é o único que pode entrar nos cômodos da sua casa interior. Só você pode olhar para dentro de si e dizer: chegou a minha hora!

Faça cada momento de sua vida valer a pena, mesmo que seja imperfeito, trazendo sempre o equilíbrio entre corpo, alma e espírito.

Com muito amor e empatia, seja livre e vá realizar seus sonhos!

É NA IMPERFEIÇÃO QUE O AMOR E A EMPATIA CURAM AS DOENÇAS DA MENTE.

Arthur Shinyashiki

Fundador e CEO do Gente Educação e sócio do GenteLab, Arthur é a maior referência da nova geração de palestrantes e treinadores do Brasil. Além de um grande transformador de vidas e histórias, também é o empresário por trás do grande sucesso do Instituto Gente. Após passar por grandes empresas, como DM9DDB e Ogilvy, hoje treina, em média, doze mil alunos por ano e impacta milhares de pessoas com seus conteúdos gratuitos e palestras.
Instagram: @arthurshinyashiki
YouTube: Arthur Shinyashiki

Torin Zanette

Pare de nadar contra a correnteza

A sociedade moderna nunca teve tantos recursos quanto os disponíveis hoje. As empresas, a internet, os aplicativos e as redes sociais tornaram conexões inimagináveis há 50 anos totalmente possíveis hoje. Sem sair do seu sofá, você estuda em qualquer faculdade do mundo, conhece o amor da sua vida, compra itens de qualquer lugar ou faz uma consulta médica.

Ao mesmo tempo, as pessoas nunca estiveram tão doentes. E não estou falando das doenças fisiológicas que acometem o nosso corpo, mas das doenças psicopatológicas que afetam a mente, como a ansiedade, a depressão e a Síndrome de Burnout – palavras que se tornaram recorrentes em nosso vocabulário. São doenças que têm altos impactos na fisiologia do corpo e surgem, em muitos casos, de estímulos provocados na mente. Seu impacto na carreira, nos relacionamentos e na vida social é incalculável.

Segundo estudos divulgados por plataformas como a CNN Brasil e Veja, em 2022, no Brasil, 44% dos trabalhadores apresentam sintomas de Burnout, 10% padecem de ansiedade e 11,3%, de depressão. Ou seja, metade dos brasileiros vive com uma doença mental diagnosticada. Considerando que a estatística envolve apenas pessoas que vivem em grandes cidades, podemos concluir que esse número é muito maior.

Em paralelo, o consumo de medicamentos cresce em uma velocidade abismante. É cada vez mais comum ouvirmos alguém comentar que toma algum medicamento para ajudar no sono, no foco, no volume de energia ou, até mesmo, na sua psicopatologia – seja lá qual for. Talvez até mesmo você, leitor, tome alguma medicação. Não há nada de errado nisso, mas pode ser um alerta de que seu estilo de vida não está compatível com quem você de fato é. Esse descompasso gera uma inquietude que, na maioria das vezes, aprendemos a tolerar e a anestesiar, recorrendo a doces, alimentos hipercalóricos, cigarro, maconha ou qualquer outra distração que nos permita varrer o problema para debaixo do tapete. Esse tipo de atitude resolve os sintomas, porém não cura a causa. Somente um estilo de vida compatível com sua alma é que vai possibilitar isso.

Nós, seres humanos, temos desejos e necessidades complexos, negligenciar isso e viver uma vida que não é a sua gera desconexão com nós mesmos e produz uma angústia profunda, pois sentimos um desconforto de origem desconhecida. Parece que a vida está "torta" ou "fora do eixo", como um carro desalinhado ou como quando nadamos contra uma correnteza. Por mais que tentemos nadar em uma direção, ela nos puxa de volta, e precisamos fazer ainda mais força que o esperado. Do mesmo modo, essa situação gera raiva e frustração, uma vez que não conseguimos ser quem realmente somos por conta das expectativas externas, que acabam sendo a personificação dessa correnteza. Convenções sociais, familiares, classe social, gênero e muitas outras estão enraizadas e nos fazem ter desejos que acreditamos ser nossos.

Percebemos que poucas pessoas conseguem se desprender dessas obrigações sociais e ficamos com a impressão de que isso só é possível para pessoas extremamente únicas, singulares e especiais.

Grande parte das pessoas nem sabe que é influenciada por essa correnteza que não a sua própria vontade. Nossa força de vontade é a ignição do carro, mas não o combustível. Outros fatores como a nossa primeira infância, a nossa epigenética, os nossos vínculos sociais etc. podem definir como será nossa vida muito mais do que nossa força de vontade. Investigar a nós mesmos e descobrir quais são essas correntezas de influência permitirá que nos libertemos delas. Conhecermo-nos, questionarmo-nos, observarmos nossos diálogos internos, darmos espaço para o novo, quebrarmos padrões, fazermos processos de autoconhecimento, conhecermos nossos paradigmas familiares são formas de termos consciência de que muitos dos problemas em nossa vida podem ter origem em coisas que fazemos ou pensamos. E é preciso mudar tais padrões.

Outro sentimento significativo que a desconexão com nós mesmos acarreta é o medo. O medo bloqueia aqueles que querem mudar e os impede, de maneira inconsciente, que vejam o quadro real que os envolve. Antes mesmo de termos consciência da mudança e do consequente receio de mudar, temos medo de ver as forças que nos prendem dentro de um caminho pré-definido por essa correnteza e nos escondemos atrás do conforto da ignorância – inconscientemente, é claro. Quando temos a coragem de ver o que fazemos de errado, com os olhos de quem quer mudar, no primeiro instante, sentimos dor e ainda mais angústia. Por isso, é mais confortável nem olhar. Além disso, o medo de mudar pode existir até mesmo quando sabemos que a mudança nos fará bem. Isso acontece porque é mais fácil só aceitar a correnteza.

Deixar de ter sintomas de ansiedade, depressão ou Burnout começa por, entre outras coisas, assumir um estilo de vida condizente com quem realmente somos e com o que precisamos para sermos felizes. Somos, na verdade, duas pessoas diferentes, uma pessoa dentro de nós mesmos e outra para o mundo. O descompasso entre a nossa comunicação interna e externa gera uma ruptura na nossa mente, nos levando ao desconforto em relação a nossa própria vida. Conseguimos viver e somos felizes em alguns momentos, mas parece que algo não está devidamente no lugar. E esse algo fora do lugar, sustentado por muito tempo, pode desencadear as doenças citadas.

Um sintoma disso é que alguma área da nossa vida foi menos desenvolvida. Pense na sua saúde física, na sua saúde mental, no seu relacionamento com a sua família, na sua carreira, na sua conexão espiritual, na sua vida social e, também, sexual. Quando uma dessas áreas está abaixo do nível que consideramos satisfatório, sentimos esse desconforto. E sustentá-lo por muito tempo pode nos levar às doenças mencionadas. É como se caminhássemos com o pé um pouquinho torto durante muito tempo, ocasionalmente, sentiremos dor em outras partes da perna, como a canela e o tornozelo. E, se tomarmos um remédio para anestesiar a dor, ainda assim caminharemos torto, aumentando o dano.

Em 2014, eu me vi nessa situação problemática de estar desconectado de mim mesmo. Minha vida ia bem, eu era bem-sucedido em várias áreas, tinha conquistas materiais que, para alguém daquela idade, eram muito avançados. E a única coisa que eu sentia era vontade de mais, mais e mais. Porém sentia que faltava alguma coisa, parecia que quanto mais eu tinha, mais eu precisava. Era como secar a boca com doce de leite. Naquela época, trabalhava com algo totalmente diferente da minha atual ocupação e vivia uma existência muito desconectada da minha essência. Com muito esforço, conseguia evoluir e achava que isso era natural para todos. Mas, em um dado momento, senti uma vontade muito forte de mudar.

Comecei uma jornada de autoconhecimento que durou um ano – na verdade, essa caminhada dura até hoje e vai continuar pelo resto da minha vida. Nesse período, conheci minha essência e aquilo que realmente me satisfaz. A satisfação profunda, e não a do ego, gera plenitude. Boa parte das coisas que eu buscava vinha dos condicionamentos que eu tinha vivido até aquele momento e que acreditava serem meus.

Quando eu me conheci e aprendi aquilo que realmente me satisfazia, começou realmente meu processo de mudança. Foram muitos passos dados nessa jornada, e, hoje, sinto que vivo muito mais minha essência e, consequentemente, tenho menos sintomas decorrentes de problemas psicoemocionais. Sinto que preciso empurrar menos minha vida, e ela me conduz em um fluxo harmônico. Obviamente, nem sempre é tão fácil, mas consigo identificar melhor essas fases.

Essa jornada me permitiu concluir que o melhor caminho para reverter um cenário de ansiedade, depressão e Burnout é por meio do autoconhecimento e da reprogramação da sua vida. A seguir, detalho como fazer isso, com base em minha própria experiência.

SEPARE VOCÊ DA CORRENTEZA

Muitas pessoas não se conhecem profundamente, acreditam que gostam ou desgostam de algo, quando, na verdade, foram influenciadas por outras pessoas, situações ou contextos. Passam a vida buscando satisfazer expectativas externas – o que acaba sendo uma tortura. O grande problema é que essas expectativas estão tão enraizadas na mente desses indivíduos, que eles acreditam ser um desejo deles, quando não é. Essa é a correnteza dentro de nós.

Dessa forma, busque se conhecer, observando seu corpo, sua mente e suas emoções. Eles são guias fiéis nessa jornada. Sinta como essas três dimensões se manifestam com relação às outras pessoas, contextos, hábitos etc. Procure o auxílio de profissionais nessa caminhada, pois é muito fácil nos enganarmos quando estamos sozinhos. Sua percepção sobre sua saúde pode ser ótima, até fazer uma bateria de exames e constatar um problema. O mesmo vale para seus relacionamentos pessoais e sentimentais, para sua carreira e para outras áreas da sua vida. Processos de desenvolvimento humano são excelentes para acelerar os resultados.

Design your life ou desenhe sua própria vida

Desenhar uma nova vida para si mesmo e colocar isso em prática exige bastante trabalho e disciplina, uma vez que seu cérebro já está condicionado a viver da forma antiga, e os caminhos neurais bem estabelecidos garantem isso. Estamos programados para evitar mudanças. Qualquer transformação gasta muita energia e nos coloca em risco. Por isso, a famosa zona de conforto é tão atrativa – mesmo não sendo tão confortável quanto o nome a faz parecer.

Assim, é importante definir novos hábitos e colocá-los em prática por meio de ações diárias. Muitas mudanças, como transição de carreira, fim ou início de um relacionamento, levam tempo para acontecer e precisam ser muito bem estruturadas. O segredo está na constância. Mudanças assim não acontecem da noite para o dia, e nosso o cérebro valoriza muito a repetição. Não há como definir o tempo da mudança, mas é importante fazer dessa jornada algo prazeroso. Só assim você conseguirá chegar até o final. Aqui, novamente, a ajuda de um profissional é sempre muito bem-vinda.

De um modo ou de outro, a vida nos traz a necessidade da mudança. Entretanto, é bom que tomemos a iniciativa de realizarmos as transições necessárias para evitarmos as situações nas quais a vida impõe a necessidade de transformação. Infelizmente, muitas pessoas chegam ao limite dos sintomas para começar o processo de autoconhecimento e transformação. Até lá vivem uma vida de adaptações e privações e caminham torto tantos passos que se confundem com aquilo que não são, destruindo a si mesmas e aquilo que amam. Por isso, conheça-se a si mesmo – e reinvente-se de acordo com quem você realmente é!

Deixar de ter sintomas de ansiedade, depressão ou burnout começa por assumir um estilo de vida condizente com quem você realmente é e com o que precisa para ser feliz.

Chris Oliveira

Mentora especialista em reprogramação mental e lei da atração, empresária, palestrante, influenciadora digital, escritora e produtora de cursos e conteúdo digital. Hipnoterapeuta e praticante de Programação Neurolinguística (PNL), reikiana nível III. Medita há mais de vinte e cinco anos, tendo conhecimento de diversas técnicas e métodos, o que lhe permitiu ampliar sua experiência em meditação, aliando-a com os conhecimentos de lei da atração e *mindset*, desenvolveu seu próprio método: o método Vortéx! Criou, ainda, as suas próprias práticas meditativas: meditações com reprogramação mental e uso da Técnica do Ponto Zero. Seu canal no YouTube é referência em lei da atração e reprogramação mental.
Instagram: @chrisoliveira.oficial
YouTube: Chris Oliveira

Joni Lacerda

Reprograme seu futuro

Você já se sentiu cansado, frustrado, sem dinheiro o suficiente para fazer suas escolhas? Acredita que a vida de todo o mundo está melhor que a sua? Que as pessoas têm mais dinheiro, vivem em casas melhores, viajam, têm o relacionamento dos sonhos, enquanto, para você, tudo parece ser sempre mais difícil?

Muitas pessoas se sentem em um eterno ciclo de altos e baixos emocionais, em uma busca constante de uma vida melhor, de uma existência perfeita que nunca chega. Sua mente parece estar em um constante *looping* de ansiedade, produzindo frustação e procrastinação. Querem mais dinheiro, um relacionamento feliz, um trabalho mais próspero. Desejam ter mais tempo para si, viajar pelo mundo, mas não conseguem, pois estão sempre no vermelho. Não são capazes de realizar as ações que precisam para melhorar sua vida e nem sabem por onde começar; ou, se sabem, não conseguem colocar as ideias em prática.

Passaram por muitas coisas ruins desde a infância, têm mágoas e ressentimentos. Carregam uma grande tristeza no peito e, algumas vezes, as emoções vêm à tona em explosões que não precisavam acontecer, ou transbordam em um choro impossível de conter. Começam projetos e não terminam, e, em geral, se sabotam para não ter sucesso em algo – como ficarem doentes no momento em que precisam tomar uma decisão importante. Sentem-se paralisadas, querem mudar muitas coisas em suas vidas, mas parece que tudo está travado. E, para completar, a vida amorosa também não está satisfatória.

Quando vivemos esse caos existencial, acabamos nos tornando presas da insegurança. Temos receio de nos expressar em público e até mesmo de fazer perguntas, temendo parecer pouco inteligentes. Muitas vezes, não nos impomos como gostaríamos. Também não nos sentimos confiantes com relação a nossa aparência.

Ainda pior do que a insegurança é a ansiedade que acompanha esse quadro. Os pensamentos ficam constantemente no passado, causando frustração, ou no futuro, com dúvidas que são verdadeiras torturas: e se faltar dinheiro? E se eu ficar sozinho? E se não der certo? Nossa mente se transforma em uma verdadeira cigarra a cantar, "e se, se, se, se, se...", nos impedindo de viver o momento presente. Comemos rápido e até namoramos rápido, porque, afinal, não conseguimos aproveitar o agora, já que chegar ao fim de uma ação parece ser mais importante do que apreciá-la.

Entretanto, queremos mudar, queremos nos sentir mais tranquilos, confiantes, poderosos e, principalmente, ter uma vida melhor, com mais tranquilidade e conforto; desejamos um relacionamento amoroso saudável, mais liberdade financeira e mais tempo para desfrutar a nossa existência. Em contrapartida, não conseguimos sair do ponto que estamos para o ponto que desejamos. E a questão é que isso não é nossa culpa. O grande impeditivo está em nosso subconsciente, na programação que recebemos.

Toda a nossa vida é baseada em nosso subconsciente. É lá que estão as nossas emoções e as memórias de longo prazo e tudo aquilo que vivemos desde a infância até aqui, que, de alguma forma, nos trouxe emoções negativas, gerando ao longo do tempo, por meio de experiências repetidas, um padrão de pensamentos carregados de emoções, que acabam produzindo crenças, traumas, medos, fobias, ansiedade, procrastinação, imediatismo. São aquilo que chamo de sabotadores mentais.

Os sabotadores mentais direcionam nosso sistema de orientação, fazendo com que não ajamos, nos sintamos frustrados ou façamos escolhas equivocadas. Isso nos leva a viver uma existência desalinhada com quem realmente somos, com a nossa verdadeira essência, que é de paz, bem-estar, alegria e contentamento – a essência de um bebê quando chega ao mundo. Já reparou como um bebê é feliz quando recebe o básico da vida: amor, comida, higiene, sono, diversão? Deveríamos nos sentir sempre como um bebê, sorridentes e satisfeitos com nosso dia a dia.

A boa notícia é que todos podemos ter uma vida feliz, leve, próspera e em equilíbrio com quem somos. Isso só depende da programação mental que escolhemos instalar e fortalecer daqui para frente. Parece perfeito, não é mesmo? Mas, afinal, o que é o perfeito?

O perfeito é apenas ser feliz com a imperfeição da própria vida! A felicidade não tem a ver com chegar ao destino, ou com ser ou ter mais; tem a ver com **experienciar com alegria a nossa jornada**. E isso é conseguido quando aproveitamos o momento, a existência, bem como quando aceitamos o que não pode ser mudado. Se não há como mudarmos o nosso passado, podemos, sim, construir o futuro que desejamos. E o que iremos viver daqui para frente depende de nossos pensamentos, sentimentos e escolhas diárias. Somos o nosso próprio ímã: só nós é que somos responsáveis pelo que atraímos para nossa vida. Cada um de nós é, de fato, o cocriador de sua realidade manifestada.

Mas é claro que, mesmo sabendo disso, não conseguiremos mudar tudo sozinhos. E sabe por quê? Por causa do padrão emocional que carregamos em nosso subconsciente. Como já dito, nosso subconsciente domina toda nossa vida, uma vez que trazemos emoções que, de alguma forma, têm impacto negativo sobre nós. Por isso, o primeiro passo é perceber o que nos incomoda e há quanto tempo. Pergunte a si mesmo: "O que me incomoda?" e "há quanto tempo isso me incomoda?".

Depois de se fazer essas perguntas e obter as respostas, procure colocar em prática os passos a seguir, para começar a mudar seu padrão emocional.

1» BUSCAR A CAUSA DAS EMOÇÕES

Busque se lembrar de quando sentiu essas emoções pela primeira vez ou de forma mais intensa. Com base nisso, é preciso dessensibilizá-las e ressignificá-las. A maneira mais rápida de fazer isso é passar por uma sessão de hipnoterapia. Quando eliminamos a causa dessas emoções negativas que estão impactando a vida presente, por exemplo, ansiedade, fobias, medos, procrastinação, relacionamentos ruins, escassez financeira etc., esses problemas atuais perdem a força, pois não há mais uma causa atuando na mente subconsciente. Assim, a pessoa começa a pensar, a sentir e a se comportar de forma diferente, produzindo, então, novas ações mais assertivas e uma vida mais leve, feliz e próspera.

2» REPROGRAMAR A SUA MENTE

Para isso, você pode usar faixas de reprogramação mental, adquirir novos hábitos positivos e buscar influenciar-se com pessoas que o inspirem.

Uma vez eliminada a causa que gerou o padrão de emoções negativas e as crenças limitantes no subconsciente, é preciso trazer novas crenças positivas e possibilitadoras e reforçá-las no dia a dia, para que novos hábitos de pensamentos e comportamentos sejam instalados e fortalecidos.

Assim, a mente vai se fortalecendo cada vez mais em um novo padrão emocional, que irá gerar resultados positivos contínuos e não se permitirá influenciar no dia a dia pelo ambiente ou por pessoas negativas.

3» FORTALECER A NOVA PROGRAMAÇÃO POSITIVA

Isso é possível por meio de meditação, de faixas de reprogramação mental, da leitura de livros que te inspiram positivamente e de treino. É preciso, do mesmo modo, ter atenção ao que consome em termos de "programação mental". Aquilo que vemos na TV, lemos nos jornais, assistimos nos filmes, novelas e redes sociais, enfim, tudo o que sua mente consome constantemente reforça suas programações, muitas vezes, de modo negativo.

4» VIBRAR EM FREQUÊNCIAS ELEVADAS

Pratique a gratidão, pois esse sentimento eleva nossa frequência de bem-estar. Os estudos de Abraham Maslow, psicólogo norte-americano conhecido pela Pirâmide de Maslow ou teoria da Hierarquia das Necessidades Humanas, apontaram que a gratidão contribui para que as pessoas reconheçam o que há de bom ao seu redor. Mostrando o quão prazeroso é valorizar o que se possui, a gratidão faz com que os indivíduos gratos cultivem menos a **ansiedade** por aquilo que não têm ou por aquilo que desejam ter.

Ao sentirmos gratidão, vibramos esse sentimento, atraindo-o para nós. Reconhecer e ser grato por coisas pequenas e simples atrairá cada vez mais coisas pelas quais agradecer, pois o universo retribui o que damos a ele. O cosmos não julga, apenas devolve a vibração emanada. Por isso, do mesmo modo que, ao agradecer, recebemos mais motivos para agradecer, ao reclamar, também receberemos mais motivos para reclamar.

Sentir gratidão nos coloca em um estado de bem-estar e contentamento, trazendo a sensação de leveza. Isso produz mais equilíbrio diante das situações a serem enfrentadas, possibilitando que encaremos a vida com mais tranquilidade e menos ansiedade. Uma pessoa grata sorri mais e é mais alegre; é menos dramática e lida melhor com os problemas, pois consegue colocar seu foco naquilo pelo qual sente gratidão.

5» VIVER APRECIANDO

Quando estiver vivendo momentos bons, simplesmente **aprecie**. Quando apreciamos, potencializamos a sensação de bem-estar, e o universo responde a isso trazendo mais experiências semelhantes. É como se disséssemos: dê-me mais disso, por favor! Nosso subconsciente quer que sejamos felizes. Por isso, ao nos sentirmos bem e felizes, ele fará de tudo para trazer esses sentimentos para a nossa realidade. **Aprecie**, portanto, um papo divertido, uma taça de vinho, um lindo pôr do sol, um lugar incrível que está visitando, uma conquista que está curtindo... aprecie, e mais momentos como esses virão para a sua vida.

Esses passos fazem parte do meu método Vórtex, que transformou a minha vida e vem mudando também a vida de centenas de alunos meus no Brasil e no mundo. As histórias de transformação são incríveis.

Agora, quero compartilhar um pouco da minha história. Minha vida foi cercada por um ciclo de altos e baixos. Tudo começou com um período desafiador, aos meus 7 anos, quando meu pai, que era juiz do estado da Bahia, faleceu repentinamente de um infarto fulminante, o que ocasionou um grande abalo emocional e financeiro. Junto com minha mãe e meus 3 irmãos, passamos a enfrentar uma série de problemas, como uma enchente em nossa casa e a pensão de minha mãe, que, por razões burocráticas do estado, atrasou cerca de 7 anos. Mudamos de cidade e estado e, com 11 anos, passei a estudar em colégio público, onde levava salgados para vender aos colegas, além de trabalhar vendendo roupas que minha mãe confeccionava em casa. Foi um período difícil, passei muitas privações, já que a renda familiar nunca era suficiente para as despesas, e eu, adolescente, já trabalhava muito para ajudar em casa. Porém, eu sempre fui sonhadora e pensava que deveria ter algo que eu pudesse fazer para mudar a realidade em que eu vivia. E então, eu comecei a estudar sobre o funcionamento de nossa mente e das leis que regem o nosso universo.

Com 21 anos, engravidei da minha filha e me casei, mas o casamento durou somente 1 ano e meio. Com cerca de 24 anos, comecei a meditar, fiz cursos de formação em reiki e cursos de PNL.

Aos 25 anos, conheci quem seria o pai de meus 2 filhos mais novos, casei novamente e ficamos 18 anos juntos. Durante esse tempo, tive alguns negócios: uma escola de danças por 11 anos, 2 restaurantes por 4 anos e, em 2008, iniciei em um novo negócio em uma multinacional, como consultora de beleza independente. Foquei em crescer nessa carreira, em 4 anos, atingi o topo e me tornei diretora nacional de vendas independente. Foram 11 anos de uma carreira em ascensão, em que conquistei premiações, inúmeras viagens internacionais e carros de luxo. Parecia que, financeiramente, tudo estava muito bem, mas as coisas começaram a mudar, iniciou-se um período de crise no meu negócio que, até então, parecia ser estável, e tudo começou a desabar.

Após 18 anos, meu relacionamento, que estava desgastado, chegou ao fim, e, aos 41 anos, me separei. Eu estava, então, divorciada, morando com meus 3 filhos e endividada. Porém, durante todos esses anos, eu nunca parei de pesquisar, estudar e praticar em minha própria vida os conhecimentos que fui acumulando sobre o funcionamento de nossa mente, a lei da atração e sobre a meditação. Em alguns aspectos, minha vida melhorava, mas, em outros, parecia desabar. Eu não entendia bem o porquê, mas eu pensava que faltava algo, uma peça ainda. Fui pesquisar mais e fiz novas formações em PNL e em hipnose, momento em que pude entender mais fundo as reais causas de minha vida estar em um constante ciclo de altos e baixos, tanto emocionais, quanto financeiros.

Passei então por um processo de hipnoterapia e eliminei as causas das emoções que estavam registradas em meu subconsciente, que geravam inconscientemente um padrão repetitivo de atração de relacionamentos desalinhados, uma vida financeira instável e muita ansiedade. **Eliminar as causas**, essa era a peça que faltava. Continuei o meu processo de transformação com os demais pilares de meu método, usando as minhas faixas de reprogramação mental, praticando, diariamente, as meditações e frequências vibracionais positivas.

A peça que faltava se encaixou e minha vida passou a ser a vida que sempre sonhei, com muito mais equilíbrio emocional, liberdade financeira, um relacionamento amoroso divertido e feliz e uma vida **livre** e cheia de prosperidade.

Assim, compilei os pilares que transformaram a minha vida e criei um passo a passo, que decidi compartilhar com todas as pessoas que desejassem passar pelo processo que, assim como na minha própria vida, as libertaria! E, desde então, me sinto muito feliz e grata por ajudar no processo de transformação positiva de milhares de pessoas.

A seguir, relato a experiência de uma de minhas alunas.

Ela estava divorciada há três anos. Apesar disso, durante esse tempo, continuava morando no mesmo apartamento, com o ex-marido e as duas filhas. Todos tinham seus quartos, porém ela dormia no sofá da sala, ainda que houvesse um cômodo sobrando, que servia de escritório para o ex-marido.

Diante dessa situação, ela entrou em depressão. Passou a tomar oito medicamentos diferentes, além de sentir muita ansiedade, compulsão por doces, insônia e grande desconexão com quem ela de fato é. Sem forças e cansada, seu corpo "gritava" por socorro – o que a levou a desenvolver um câncer. Foi nesse estado que ela me procurou.

Após ouvir seu relato, seguimos o método Vórtex, que ela aplicou como aluna de meu curso *on-line*, mentorias comigo e mais 2 sessões de hipnoterapia. Em menos de um mês, sua vida mudou completamente. Após três anos vivendo em crise, ela conheceu alguém e começou a namorar, emagreceu três quilos em uma semana – sem dietas –, foi liberada de medicamentos que tomava, encontrou novas oportunidades de trabalho em sua área e, o melhor de tudo, como ela mesma diz, saiu do sofá! Ela conseguiu se impor e ter uma boa conversa com o ex-marido. As filhas a apoiaram e a ajudaram a encontrar um novo imóvel, para onde as três se mudaram. Sua autoestima aumentou e ela, agora, se ama e se valoriza. Ainda mais importante, ela me confidenciou que não espera nada menos do que o melhor para a própria vida.

Essa e outras transformações que testemunhei e que ajudei a realizar me permitem dizer que você é o protagonista da sua vida. Você – e só você – pode trazer para a sua experiência de vida tudo aquilo que merece. Você não é responsável pela programação mental que recebeu quando criança. No entanto, como adulto, você é totalmente responsável por mudar o que precisa ser mudado. Viver apegado à dor, ressentir-se, não perdoar, guardar mágoas e frustações são atitudes contraproducentes. Você pode se libertar, você pode se curar! Uma mente presa produz uma vida presa, ao passo que **uma mente livre, produz uma vida livre**!

Não importa a situação que está vivendo hoje; não importa se a existência que deseja viver pareça tão distante. Esteja certo de que você pode chegar lá! Tudo está em sua mente. Nada pode limitar ou expandir suas experiências mais do que seus próprios pensamentos imbuídos de emoção. Liberte-se, portanto, de seus sabotadores mentais e seja a sua melhor versão! Seja como um bebê: feliz, satisfeito, apreciando cada momento vivido.

Lembre-se de que você é um cocriador, e faço votos de que você seja um cocriador intencional. Como sempre digo aos meus alunos, um cocriador intencional sempre sabe quando é a hora de mudar o foco!

Saiba que você nasceu para **ser**, **ter** e **fazer o que desejar**!

Você é o protagonista da sua vida: traga para a sua experiência de vida tudo aquilo que merece.

GLÁUCIA GOMES

Atuou no mundo corporativo, com gestão de times e projetos de tecnologia. De uma forma geral, ela vivenciou conflitos e estresse com maior intensidade na vida profissional e acabou por perceber que esses dois componentes a fizeram adoecer. Nesse sentido, Gláucia buscou, no desenvolvimento humano, o conhecimento e as ferramentas necessárias para que ela compreendesse os conceitos que envolvem os mais diversos tipos de conflitos e, a partir disso, pudesse buscar uma nova forma de viver. Assim, Gláucia começou a sua jornada de aprendizados, autoconhecimento e autotransformação mental, emocional e física, que a levou a recuperar sua saúde sem a necessidade de remédios. Além disso, ela buscou compreender como as questões emocionais do passado interferem diretamente na nossa realidade presente.

Instagram: @capacitacaopessoaloficial
Site: www.capacitacaopessoal.com.br
YouTube: Capacitação Pessoal com Gláucia Gomes

Matheus e Jackeline | Imagephotolooks

Construindo uma nova realidade

Três décadas atrás, os papéis sociais no mundo eram mais bem definidos do que hoje em dia. Não que fossem necessariamente bem executados, mas as rotas a serem seguidas eram mais claras, bem como as consequências da escolha de qual delas percorrer. Era mais factível, por exemplo, que as pessoas repetissem modelos que as inspirassem, ou que rejeitassem aquilo que não lhes cabia. Nesse sentido, eram aceitos e validados pela sociedade aqueles que perpetuassem os modelos considerados adequados; já as pessoas que optavam por modelos cujo conteúdo não fizesse parte do que era politicamente correto acabavam sendo rejeitadas.

Atualmente, as definições dos mencionados papéis sociais se mostram difusas, confusas. Com a evolução tecnológica, a globalização e a entrada na Era da Informação, fomos bombardeados por diferentes ideias, culturas e formas de viver e, ao contrário do que se imaginou – isto é, que nossa qualidade de vida melhoraria –, os resultados desses adventos foram grandes mudanças nas esferas social, familiar, profissional, cultural e pessoal, que impactaram fortemente as noções a respeito dos papéis sociais e acabaram nos dando a impressão de vivermos em meio a um verdadeiro caos. Nesse contexto de tantas informações e possibilidades, é normal que surjam dúvidas, incertezas e, até mesmo, medo.

Esses sentimentos e sensações que estamos experimentando nos dias atuais podem estar ligados a conceitos arraigados há muitos séculos. Fomos ensinados a compreender a realidade pelo aspecto material: nossa referência é o que vemos, tocamos e sentimos, fundamentada nos princípios da física atômica e materialista de Isaac Newton. No entanto, essas noções não se mostram suficientes para que vivenciemos mais tranquilamente esse contexto de tantas mudanças impactantes – o que, talvez, pudesse ser remediado se tivéssemos aprendido sobre o universo subatômico, invisível e imaterial da física quântica, desenvolvida por Max Planck, por volta de 1920.

Irônica e curiosamente, esses princípios da física quântica foram aplicados justamente nas áreas de desenvolvimento científico, bioquímico e genético, contribuindo fortemente para a promoção da já mencionada evolução tecnológica dessas últimas décadas – a qual foi, conforme explicado, a catalizadora das transformações que acabaram nos levando a este panorama de angústias e muita ansiedade. Em relação à área do desenvolvimento humano, por outro lado, os conceitos da física quântica tiveram pouca ou quase nenhuma aplicação – nesse sentido, passa longe de ser absurdo pensar que, se eles fossem empregados no entendimento da construção da nossa realidade, partindo da energia para a matéria, e não o contrário, poderíamos ter evitado todo esse caos emocional, que, como sociedade, estamos vivenciando atualmente.

Tal contexto nos coloca, de acordo com o que foi referenciado anteriormente, diante de novos modelos de funcionamento social, familiar, profissional, cultural e pessoal, o que gera diversos tipos de inseguranças. Soma-se a isso o alto volume de informações desencontradas e tendenciosas veiculadas, a cada instante, por instrumentos antes destinados a informar, entreter e divertir, mas que se tornaram disseminadores de conflitos, desesperança e, principalmente, de medo, sentimento que se tornou, na realidade, o ponto central não só das mídias convencionais, como também dos ambientes sociais.

Nesse escopo, as pessoas estão, inconscientemente, sendo levadas ao desequilíbrio mental e emocional. Segundo pesquisa publicada pela Veja, em julho 2019, antes do isolamento social, 86% dos brasileiros tinham algum problema de saúde mental, que costumava ser desencadeado por pressão no ambiente de trabalho ou por situações afetivas da vida pessoal. De acordo a psicóloga Heloísa Caiuby, referenciada na pesquisa, esses números são reflexo da realidade que estamos vivendo, "O mundo está muito difícil, rápido e cheio de mudanças. Muitas vezes não temos tempo sequer de assimilar uma mudança e já vem outra. Isso causa uma angústia tremenda porque as pessoas não conseguem dar conta".

Ademais, sem perceberem, as pessoas são também afetadas fisicamente, o que as leva a correr para os remédios que atuam no efeito e não na causa de seus problemas. O adoecimento do corpo é consequência da somatização do estresse causado por conflitos, sensações de sofrimento, angústia e ansiedade causadas pelos pensamentos e emoções ligadas aos medos, insegurança, instabilidade, cobranças, falta da autoestima e autocuidado. Como tratado em profundidade no livro *A Doença como caminho* (Cultrix, 1992), de Thorwald Dethlefsen e Rudiger Dahlke, os sintomas podem ser considerados a forma física da expressão dos conflitos e, uma vez resolvidos, é possível chegar na cura. Os pensamentos e emoções negativas bloqueiam o fluxo emocional criativo e energético expansivo que faz com que a vida se manifeste da forma desejada para realizar os planos e sonhos na vida pessoal e profissional com saúde e disposição.

Pensando na conquista de objetivos que levariam os indivíduos a tal realidade, deve-se analisar os obstáculos que aparecem no decorrer do caminho. Eles variam de acordo com três modelos mentais:

1. Modelo mental favorável, resultante do convívio com pessoas que tiveram sucesso na realização de seus objetivos.

2. Modelo mental desfavorável, derivado do convívio com pessoas que não tiveram sucesso na realização de seus objetivos.

3. Ausência de modelo mental, quando não houve convívio com pessoas que tinham a atitude de traçar objetivos concretos na vida.

A maioria das pessoas se frustra por não conseguir realizar seus sonhos. O Projeto 30, solicitado pela Giacometti Comunicação à Pesquiseria, é um mapeamento que traz um cenário consistente dos mecanismos de vivência e construção de jovens brasileiros do século 21, com idade em torno de 30 anos. Quando se fala na trajetória que traz o modelo de passado e aspirações de futuro sob a percepção dos entrevistados, temos a distribuição da seguinte forma: 28% "em recomeço"; 21% "frustrados"; 15% "carreirista"; 11% "família precoce"; 8% "zen"; 7% "realizado"; 6% "independente"; 4% "deixa a vida me levar".

Alguns se empenham bastante, mas, ao não saírem do lugar, desistem; outros acabam esgotados por perceberem que estão num processo repetitivo de realização contrária àquilo que desejam realizar e não sabem como sair desse ciclo. Uma aluna minha, que atuava com vendas de imóveis de alto padrão, se sentia exausta por tentar conciliar a vida profissional com a qualidade de vida familiar. Fizemos um trabalho sobre os modelos mentais e ela identificou uma crença familiar, na área do atletismo, da qual ela fez parte, de que as coisas tinham que ser conquistadas com muito esforço e dificuldade, e, após o ajuste dessa crença, ela conseguiu ter mais resultados no trabalho, dedicando menos tempo e conseguindo equilibrar a vida familiar com mais qualidade de tempo para a família.

A boa notícia é que, independentemente da situação mental e assim como com minha aluna, existe um processo prático que leva à realização de sonhos e que pode ser seguido rotineiramente por todas as pessoas: basta apenas compreender o funcionamento desse processo, que será explanado a seguir.

A construção do futuro almejado depende da escolha consciente e da definição do modelo mental mais favorável para a concretização daquilo que se deseja. Modelo mental deve ser entendido como o projeto de uma nova realidade; a compreensão disso ficará mais clara adiante. Vamos, primeiramente, analisar um exemplo do dia a dia, que pode ser aplicado aos conceitos aqui apresentados. Imagine a decisão de se construir uma casa; contrata-se uma empresa para elaborar o projeto, com todos os detalhes necessários. Em seguida, a planta é encaminhada a um empreiteiro, que vai dar forma concreta ao projeto. Em nossa mente, a lógica é a mesma – para construirmos uma nova experiência, precisamos elaborar, por meio de nossa consciência, o projeto de um modelo mental detalhado, que inclua o estado emocional que desejamos vivenciar. Assim, a partir desse modelo mental, a mente executará a construção da realidade pretendida.

Um erro comum e que dificulta todo esse processo é o de colocar o foco em qualquer outra coisa que não seja aquilo que realmente se quer vivenciar. A explicação para isso, a qual muitas pessoas desconhecem, é que a mente não tem critério de julgamento: ela segue construindo aquilo que está ocorrendo no modelo mental vigente. É por isso que as pessoas usualmente repetem processos de realidades desfavoráveis a elas próprias – e esse ciclo só pode ser rompido com a criação de um novo padrão mental, compatível com aquilo que se deseja conquistar. Esse rompimento passa por um processo de reprogramação mental que, uma vez aprendido, pode ter seus princípios aplicados para a concretização de qualquer sonho.

O método de reprogramação mental é composto por dois passos, descritos a seguir. É importante lembrar que as ações práticas que envolvem alcançar a mudança desejada demandam clareza, objetividade e constância.

1» TRANSFORMAR O SONHO EM UM MODELO MENTAL

Conforme já explicado, o modelo mental é o projeto de uma nova realidade. Ele começa por uma transformação relevante no estado emocional, considerando que, de acordo com o que foi evidenciado anteriormente, as emoções são elementos essenciais na construção de nossas realidades. Para mudar o estado emocional, então, é preciso ter uma definição clara sobre a realidade que você deseja vivenciar: seu ambiente, as cores que o comporão, as sensações que nele prevalecerão, as pessoas com quem você conviverá, sua relação com elas, entre outros aspectos. Então, imagine-se nessa realidade. Inicialmente pode ser difícil, mas a constância gera resultado; portanto, insista. Para ajudar, busque imagens ou vídeos que auxiliem nessa criação. A seguir, defina uma cena que represente sua chegada ao patamar de realização. Por exemplo: veja-se assinando um contrato, entrando em uma nova residência com sua família, fazendo um brinde etc.

Neste primeiro passo, um ponto no qual muitos falham é pensar e afirmar aquilo que detestam e não querem para suas vidas, como: "Não quero mais isso para mim", ou "eu detesto esse tipo de situação". Essas frases trazem imagens negativas e, portanto, acabam levando a mente para um contexto também negativo, contrário daquilo que se deseja. Por isso, o foco deve ser, positivamente, a nova realidade.

2» SIMULAR E FORTALECER O NOVO MODELO MENTAL

Há muitos modelos mentais desfavoráveis a nós, constituídos pelo que vimos e ouvimos repetidas vezes, ou pelo que vivenciamos em situação traumática. Eles fazem parte de nossa consciência; quando queremos alguma coisa, mas se não a definimos com clareza, inconscientemente ativamos o modelo vigente e inadequado aos nossos sonhos. Essa é uma das explicações para os insucessos repetitivos e frustrantes que muitas pessoas experimentam.

Para quebrar esse ciclo, dedique, diariamente, um tempo para simular seu novo modelo mental, dando vida em seus pensamentos, de modo que ele se fortaleça e, assim, possa se tornar o padrão vigente. Respire lentamente por cerca de três minutos, focando apenas o momento presente. Para tanto, coloque uma música que o conecte emocionalmente a algo maravilhoso, leve e alegre. Comece a imaginar o cenário definido no passo 1 ganhando vida. Veja pessoas chegando até você nesse cenário e você interagindo com elas. Acrescente sensações, ouça o que você diria, construa a sua sensação de **ser** ("Eu Sou Feliz"). Após alguns minutos praticando essa visualização, defina uma ou duas frases fortalecedoras que, ao longo do seu dia, vão mantê-lo focado em seu sonho. As afirmações podem ser semelhantes aos exemplos a seguir:

Eu realizo meus sonhos com facilidade.

Eu atraio a prosperidade financeira abundante na minha vida.

Minha saúde segue cada dia melhor. Eu sou saudável, as células do meu corpo são saudáveis.

Esse método determinou uma mudança muito significativa em minha vida. Sempre fui uma pessoa dedicada a meu trabalho, na área de tecnologia, até que percebi que não tinha mais em quem me inspirar no ambiente corporativo. Diante desse impasse, decidi começar a me preparar para uma transição de carreira. Eu almejava atuar na área de capacitação e desenvolvimento de pessoas, um campo profissional pelo qual sempre fui apaixonada. Acontece que, mesmo me sentido pronta para trabalhar nesse ramo, havia algo que me bloqueava, impedindo que meus desejos fossem concretizados. Então, eu passei a me aprofundar em meus conhecimentos, buscando chegar à raiz dos meus bloqueios, daquilo que me impossibilitava de realizar o que eu almejava. Em meio a essas dificuldades, sempre vinha à minha mente que deveria existir uma forma mais simples e eficiente de resolver minhas crenças limitantes e meus traumas do passado.

No início de 2020, minhas tristezas se acumularam. Eu me sentia triste por ter perdido minha mãe, em 2017, e meu pai, em 2019, e, somando a isso, estava extremamente frustrada com o falecimento, no final de 2019, do autor do método HQI de autocura consciente, método que eu estava concluindo formação para atuar integrado ao coach. Para mim a vida não parecia mais fazer sentido e eu me sentia exausta.

Foi durante esse estado de esgotamento que apareceu uma pessoa incrível em meu caminho, que me apresentou o método PRM Coach, o qual me permitiu concluir o quebra-cabeça da minha jornada de autoconhecimento, autotransformação e autocura consciente. Essa técnica possibilitou que eu me reerguesse e me curasse, sem a necessidade de tomar medicamentos. Consegui me reconstruir para poder começar a vivenciar a nova realidade na área do desenvolvimento humano que eu tanto queria.

Esse processo passou pela percepção de que meu maior impedimento era o fato de eu não ter o modelo mental compatível com a concretização da realidade que eu almejava. Além disso, descobri que podemos modelar o que queremos vivenciar, fazendo os ajustes de consciência necessários para desfazer crenças limitantes e traumas de forma simples e eficiente. Diante dessa descoberta, eu mesma criei o método com o qual havia sonhado, um procedimento para agilizar todo o processo humano de autotransformação, que viabiliza as mudanças necessárias para que sonhos sejam alcançados.

Nesse sentido, é preciso compreender que transformar um sonho em realidade é como transformar uma semente em uma árvore. Há de se selecionar uma boa semente, colocá-la em um solo fértil e saudável, regá-la com regularidade, até que ela germine e se desenvolva plenamente. Nessa analogia, a semente é o sonho que precisa ser escolhido; a terra é a mente racional e a mente emocional, que precisam estar harmonizadas e descontaminadas de pensamentos, sentimentos e crenças contrários; e o regar é manter o ambiente mental favorável, com pensamentos e emoções positivos, a fim de fortalecer a sensação de SER aquilo que se quer ser na nova realidade.

Considerando esse processo, é importante lembrar que as conexões no nível mental produzem emoções que nos lançam em campos de frequência e, alguns deles, podem ser destrutivos, caso o indivíduo fixe seus pensamentos em problemas e pessoas, noticiários e situações negativas, estabelecendo um padrão mental que impede a construção da nova realidade que ele tanto almeja.

Por isso, é essencial manter a mente direcionada e focada nas coisas que trazem alegria, esperança e confiança. Desconecte-se do medo e da desconfiança. Troque queixas por gratidão, pois essa emoção tem uma frequência positiva muito elevada: comece reconhecendo pequenas coisas pelas quais você é grato, como respirar, se alimentar, descansar. Basta abrir os olhos para ver que não faltam motivos pelos quais exercer a gratidão.

Voltando à analogia entre árvores e sonhos: lembre-se de que grandes realizadores são como bons agricultores, que fazem o que precisa ser feito, confiando que é apenas uma questão de tempo para que a semente que eles plantaram brote da terra e se torne uma árvore frondosa.

A CONSTRUÇÃO DO FUTURO ALMEJADO DEPENDE DA ESCOLHA E DA DEFINIÇÃO CONSCIENTES DO MODELO MENTAL MAIS FAVORÁVEL PARA CADA INDIVÍDUO, DE MODO QUE A MENTE CRIE A REALIDADE A PARTIR DE TAL MODELO E, ASSIM, AQUILO QUE SE DESEJA SEJA CONCRETIZADO.

Heloiza Ronzani

Heloiza Ronzani é escritora, palestrante e mentora.
Instagram: @heloizaronzani

Acervo pessoal

Autoconhecimento
é tudo

Há dois grandes problemas que muitas pessoas enfrentam e que impedem a construção do futuro desejado por elas. O primeiro deles é a insatisfação gerada por diferentes frustrações. Delas, resulta o segundo impedimento: o boicote que os indivíduos estabelecem a si mesmos e que os fazem permanecer limitados e acomodados diante da vida, por mais incômoda que ela seja. Ambas as situações promovem muita dor, que se intensifica à medida que não se enfrenta a situação problemática, muitas vezes pela falta de conhecimento ou mesmo pelo fato de as pessoas que passam por isso julgarem que nada pode ser feito para superar essas dificuldades.

Esses dois problemas – a insatisfação e o boicote a si mesmo – produzem, por sua vez, sentimentos que impedem a autotransformação: a percepção de si mesmo como alguém inferior, incapaz de realizar seus objetivos e viver plenamente. O indivíduo é invadido por uma baixa autoestima, que ocupa seu espaço interior quando os resultados que ele obtém não correspondem às expectativas que criou.

Nesse sentido, uma pesquisa realizada pela Vittude, entre outubro de 2016 e abril e 2019, mostrou dados alarmantes sobre a saúde mental. Dentre os avaliados, 59% estavam em estado extremamente severo de depressão. Em outro contexto, em 2021, a OMS declarou que o Brasil tem a maior taxa de transtorno de ansiedade do mundo. Isso mostra que ninguém consegue ter uma vida satisfatória se o fracasso a ronda. Essas dores podem acontecer em qualquer ambiente, mas, principalmente, no familiar e no profissional, podendo implicar, até mesmo, a debilitação da saúde do indivíduo que sente esses desgostos. Assim, tais sentimentos – de autopercepção como uma pessoa inferior e de baixa autoestima – são verdadeiros empecilhos ao crescimento humano.

É necessário, portanto, libertar-se dos pensamentos e das emoções que produzem os sentimentos supracitados. Nesse sentido, é possível reverter quadros desfavoráveis e construir o futuro desejado, desde que exerçamos a capacidade de nos reinventarmos – e isso passa pela busca de uma nova maneira de ser, de uma nova mentalidade: processo que só ocorre por meio do autoconhecimento.

Munidos do autoconhecimento, conquistamos autoconfiança, sentimento chave para que nos fortaleçamos e tenhamos condições de avaliar melhor cada possibilidade que se apresenta diante de nós. Quando desenvolvemos a autoconfiança, ultrapassamos e vencemos nossas limitações; reexaminamos nossos valores e habilidades; e, consequentemente, somos capazes de desenvolver os comportamentos mais adequados para nós mesmos diante das diferentes – e, muitas vezes, imprevisíveis – situações da vida. No decorrer desse processo de ganhar autoconfiança, o sentimento de inferioridade e de baixa autoestima perdem espaço e vão sendo substituídos por algo mais poderoso e efetivo, que vai motivar e inspirar uma nova rota em nossa trajetória, nos tornando aptos a transformar nossos sonhos em realidade.

Mas, afinal, como conquistar autoconfiança? Dois motivos importantes que comumente impedem o alcance desse sentimento são a falta de conscientização a respeito do potencial interior que cada um tem dentro de si e as preguiças mental e emocional, fatores desestabilizantes. Esses padrões abarcam uma série de contingências que limitam a vontade de pensar e de agir no sentido de realizar mudanças necessárias, minando, negativamente, toda e qualquer inspiração.

Se a pessoa não tem consciência de sua grande capacidade interior e, ainda por cima, não pensa sequer em buscar conhecimento para vencer cada obstáculo, fica presa à mesmice, em função das mencionadas preguiças mental e emocional. Para ela ser capaz de abrir essa "fechadura", vai precisar ter atitudes e pensamentos que a ajudem a mudar seus hábitos e seu estilo de vida. Esse trabalho pode parecer muito cansativo e "chato", uma vez que a mentalidade dominante é a de que tanto esforço não vale a pena.

Por isso, reconhecer que, em seu interior, existe um grande potencial, além de reavaliar os valores e os princípios que regem sua vida, são passos decisivos para começar ou retomar uma caminhada rumo à existência plena. Para que haja esse reconhecimento e essa reavaliação, é necessário observarmos nossas atitudes, ações e pensamentos, adotarmos novas posturas e nos conectarmos com o aprendizado conquistado ao longo da vida. Esse processo se dá, necessariamente, pela exploração de nosso mundo interior – ou seja, pela busca de autoconhecimento –, que está vinculada à conscientização de que a capacidade de mudança está dentro de cada um de nós, e que isso amplia nossas possibilidades de crescimento.

Portanto, a forma de reverter um estado de coisas desfavorável se relaciona diretamente à busca do conhecimento e de autoconhecimento. A ideia central deste capítulo está, de fato, essencialmente ligada ao autoconhecimento – sempre ao autoconhecimento! Procurar reconhecer nossos talentos, habilidades e valores é uma dádiva que nos remete à uma força poderosa e pouco conhecida, inerente a todos nós e que precisa, sem dúvida alguma, ser explorada e compreendida.

Essa exploração e compreensão passa por buscar conhecermos e entendermos os porquês de nossos padrões mentais e comportamentais, descobrindo como fazer para desenvolvermos e implementarmos a capacidade de olhar para dentro de nós mesmos. Por meio de tal processo, aprendemos a valorizar nossas virtudes e nossos dons inatos. Esse desabrochar permite, também, que estabeleçamos um equilíbrio entre nossos pontos fortes e fracos. Dessa forma, desenvolvemos uma mentalidade de crescimento, integrando nosso interior com o mundo exterior e passando a perceber que ser é muito mais relevante que ter.

Para realizar essa transformação, sugiro três passos simples, porém eficientes. O primeiro é conscientizar-se de suas limitações; o segundo é, de fato, colocar a transformação em prática, condicionando-a a novas habilidades adquiridas e o terceiro é gerir essas emoções, a fim de atingir uma maior estabilidade emocional. A seguir, vamos aprofundar tais conceitos.

1» ADQUIRIR A CONSCIÊNCIA

Diante da dor sofrida, da imposição limitadora que o está martirizando, é preciso lutar para que algo novo possa acontecer e mudar essa realidade negativa. Para isso, é imprescindível ter consciência da dificuldade de vivenciar determinadas situações e do fato de, ao se dar conta de suas limitações, se ver sem nenhuma alternativa para superá-las.

A incapacidade de vencer as dificuldades que limitam nosso potencial – ou mesmo o impedem de aflorar – interfere negativamente, também, na produtividade profissional e no âmbito pessoal, trazendo, entre outros sentimentos e sensações, o mau humor, que acaba anulando todo e qualquer esforço empregado na construção de relacionamentos interpessoais saudáveis. É preciso, portanto, que nos conscientizemos dos motivos de nossas intensas frustrações e insatisfações. Só assim seremos capazes de superar nossas limitações para realizarmos as mudanças que nos conduzirão ao sucesso.

2» DESENVOLVER O AUTOCONHECIMENTO

Uma vez que você tenha se conscientizado da origem de sua frustração, precisa ir em busca de conhecimento e de autoconhecimento para analisar as possibilidades de que você dispõe e, assim, traçar um plano para se transformar em uma nova pessoa. É importante se preparar e se habilitar para que você tenha uma melhor performance nos diversos âmbitos da sua vida; isso pode ser feito, conforme já mencionado, pela inserção de novos hábitos, por exemplo, praticando-os até que eles estejam condicionados à sua rotina. Dessa forma, você será capaz de desenvolver as aptidões mais apropriadas para atuar positivamente na nova realidade almejada. Aqui, vale lembrar que a teoria e a prática precisam seguir na mesma direção.

3» ADMINISTRAR AS EMOÇÕES

Terceiro passo está ligado à gestão das emoções, porque precisamos zelar para atingir e para manter a possível estabilidade emocional. O forte é o que exibe vigor mental. A procura do equilíbrio torna-se indispensável, e a

Autoconhecimento é tudo

recompensa é enorme. A necessidade de administrar uma emoção é essencial, valoriza e revigora o ser humano. De acordo com Gil van Delft, em uma pesquisa da empresa a qual preside, a Page Group no Brasil, "A inteligência emocional gera um potencial competitivo, já que favorece um ambiente com menos conflitos e mais racionalidade".

Apenas por meio desses três passos, já é possível iniciar as mudanças fundamentais para a construção do futuro que você deseja.

EXPERIÊNCIA PESSOAL E *CASE* DE SUCESSO
DE APLICAÇÃO DO MÉTODO

Falando sobre minha própria experiência, houve um momento decisivo em minha carreira, quando apliquei esse método e pude confirmar seu potencial de sucesso. Como professora, me vi diversas vezes diante de alunos que, desmotivados, apresentavam resultados insatisfatórios e precisavam obter notas boas para concluir o ano letivo. Percebendo que eles estavam adotando uma atitude de abandono em relação a essa situação, conversei com alguns durante o recreio e os intervalos sobre esse método aqui explicado. Aos poucos, eles foram aceitando a possibilidade de trabalharem seus valores, os quais estavam desalinhados.

Formamos pequenos grupos abertos, nos quais a participação não era obrigatória, mas, se ela fosse exercida, deveria ser feita de modo positivo; os alunos que não tivessem interesse podiam sair livremente. Nas conversas, avaliávamos atitudes e comportamentos, além de refletir sobre o motivo da preguiça de estudar, analisando suas causas. Buscávamos compreender o que estava causando aquele desinteresse e descobrir como poderíamos vencer tal desânimo, para, assim, conquistar novos e melhores resultados.

Traçávamos estratégias, criávamos metas e nos reuníamos semanalmente para avaliar o resultado das tarefas da semana. Assim, estimulando a boa vontade para estudar e a necessidade de fazê-lo para passar de ano, os alunos foram aceitando as orientações — e o resultado foi surpreendente! Por meio desse modo democrático, quase todos os alunos que participaram dos grupos decidiram não abandonar o ano letivo, permanecendo até o final dele e conquistando o objetivo de obter as notas que precisavam. Essa vivência evidenciou que, quando seguimos uma orientação, desenvolvemos etapas que nos levam ao crescimento e, consequentemente, à evolução. Se a caminhada for mais longa, é importante focar mais e persistir objetivamente.

A experiência que relatei me mostrou que, para ser protagonista da própria história, é preciso ter o controle de sua própria vida, tomando as rédeas dela, além da consciência do poder de decisão que todos temos dentro de nós. O objetivo é ser o protagonista da própria vida – mas ninguém nasce protagonista; para tudo, precisamos de preparação. Algumas pessoas, de fato, já têm uma tendência natural de se preparar para desenvolver seu potencial e, assim, assumir esse protagonismo. Já outras não possuem essa predisposição e, por isso, é preciso refletir: se o indivíduo não assume esse comando de sua própria vida, quem o fará? Somente ele mesmo tem esse poder.

Ser protagonista da própria história é a missão de todo ser humano. Para ter projeção na vida, é essencial ter, também, entre outros valores fundamentais, dedicação e persistência. Mas, além disso, esse caminho passa, necessariamente, pela priorização do processo de autoconhecimento: só ele leva o indivíduo a se conhecer melhor e, se conhecendo melhor, ele pode se preparar de maneira adequada para ocupar o espaço que lhe cabe no cenário de sua história – justamente o lugar de protagonista.

O OBJETIVO É SER O PROTAGONISTA DA PRÓPRIA VIDA – MAS NINGUÉM NASCE PROTAGONISTA; PARA TUDO, PRECISAMOS DE PREPARAÇÃO.

Luana Ganzert

Empresária, palestrante e psicóloga especialista em emoções.
Instagram: @luanaganzert

Jésus Lopes

O QUE FAZ
SEU CORAÇÃO
BRILHAR?

Embora cada pessoa tenha seus próprios problemas, cada qual com sua especificidade, há coisas que afetam praticamente todos nós: a dificuldade de gestar emoções e lidar com frustrações, perdas, "nãos", perfeccionismo e desafios de uma forma geral. Essa conjuntura acaba desembocando no maior de todos os nossos desafios: a desconexão com nossa própria essência. Essa perda de conexão com nosso âmago impede, por sua vez, que tenhamos relacionamentos interpessoais positivos.

Portanto, perder o controle emocional é viver uma vida sem saber se relacionar com nós mesmos e com as pessoas que estão a nossa volta. Desenvolvemos, a partir disso, uma mentalidade que bloqueia nosso crescimento, atrasa nossa evolução e dificulta a concretização de nossos sonhos. Conforme o que foi explicado até aqui, fica claro que isso é um círculo vicioso: sem sabermos gerenciar nossas próprias emoções, somos incapazes também de desenvolver relacionamentos saudáveis, firmes e duradouros.

Estamos preocupados demais em obter resultados junto à família, na profissão, na conta bancária, na saúde – enfim, em todas as áreas de nossas vidas. Entretanto, esquecemos de olhar para aquilo que realmente importa para nós, enquanto seres humanos: a conexão com o cerne de nosso ser. Segundo pesquisa feita por especialistas, publicada pela revista Veja em julho de 2019, os problemas de saúde mental são desencadeados pela pressão no ambiente de trabalho ou por situações afetivas da vida pessoal. Cerca de 260 milhões de pessoas no mundo sofrem de algum problema emocional como ansiedade e depressão. No Brasil, cerca de 86% da população sofre com algum problema emocional.

Acredito fielmente que esses dados poderiam diminuir caso as pessoas aprendessem a se conectar consigo. Um outro estudo, realizado por Fredy Machado e divulgado pela plataforma Extra, afirma que "cerca de 90% das pessoas estão infelizes em seus trabalhos. Desse percentual, 36,52% dos profissionais estão infelizes com o trabalho que realizam e, 64,24% gostariam de fazer algo diferente do que fazem hoje para serem mais felizes.". Pessoas desconectadas de si mesmas, que inflamam seus relacionamentos e não conseguem fazer a gestão das suas próprias emoções, se sentem desequilibradas, sem clareza e sem direção. Ficam perdidas com relação ao que desejam na vida e vivem infelizes.

Vejo pessoas morrendo diariamente para pagar contas, trabalhando com o que não amam, desistindo de se libertarem por medo de não ter um emprego. Trabalham vinte horas por dia para dar um futuro melhor à família, mas não têm tempo de estar com os que amam. Vejo pessoas dominadas pela ansiedade, tomadas pela depressão, vitimizadas pelo estresse, sem foco no que realmente lhes importa. Testemunho relacionamentos sem empatia, permeados pela ausência de escuta e de compreensão. Observo, assim, gente totalmente sem conexão com sua essência, mas com fotos nas redes sociais querendo mostrar uma felicidade que, na verdade, não existe.

Mas o que será da vida, se continuarmos vivendo assim? Sem estarmos presentes na vida das pessoas que amamos? Sem tempo para correr atrás de nossos sonhos? O que será dos nossos relacionamentos, se não soubermos controlar as emoções na hora da discussão? O que as pessoas vão falar sobre nós quando não estivermos mais aqui? Quantas vezes precisaremos morrer para aprender a viver aquilo que realmente nos importa?

Nesse sentido, o sentimento de fracasso e a facilidade de desistir dos sonhos são comuns na vida de quem não sabe gerenciar suas emoções e apenas vive para sobreviver aos desafios diários. Ao longo de sua existência, é muito usual que o ser humano vá se perdendo, porque, em seus relacionamentos, por exemplo, aceita ser tudo o que o outro traz para a relação. Tentando estar "certo" e tendo medo de "errar", receia perder, desagradar, não ser aceito – e deixa de se perguntar o que é correto ou errado na vida.

Considerando esse contexto, creio que cada ser humano tem, dentro de si, o desejo de ser e viver melhor todos os dias. Contudo, a mentalidade que comumente se estabelece no decorrer de nossas jornadas nos impede de sairmos do lugar, de ultrapassarmos os obstáculos que surgem e de, assim, transformarmos, de fato, nossas vidas. Tal mentalidade enfraquece os indivíduos, fazendo-os enxergar apenas os desafios, afastando-os cada vez mais dos relacionamentos humanos e os conectando fortemente com suas dores emocionais, ao invés de promover a conexão com suas essências. O saldo disso é a produção de desequilíbrio e sofrimento em nossas vidas.

Com uma mentalidade fraca, podemos nos tornar inflexíveis às mudanças necessárias e termos nossa autoconfiança abalada. Compreendi claramente essa dinâmica quando li o livro *Mindset: A nova psicologia do sucesso* (Objetiva, 2017), escrito pela Carol Dweck. Tudo está na mente que você cria, ou no que você cria na mente. Somos os únicos capazes de criar aquilo que desejamos, somos os únicos capazes de ser ou de nos tornarmos felizes. Somos capazes de criar a vida que queremos, e por acreditar nisso, entendo que o sucesso nos nossos resultados, independente da área da nossa vida, está na conexão com o nosso mais íntimo. A forma desconexa de ver o mundo nos leva, dentre outros cenários desfavoráveis, a aceitarmos nos relacionar com pessoas que apagam nossa luz e a deixarmos de viver nossa história para viver aquilo que os outros querem que nós vivamos.

É preciso mudar esse panorama. É preciso mudar a nossa mentalidade e aumentar a nossa capacidade de gerenciar nossas emoções para viver a vida com mais leveza e sentido. É necessário decidir viver antes de morrer.

Nada justifica nossa luta para sobreviver se não vivermos para construir o futuro que desejamos. Para assumirmos o poder de arquitetar o destino que queremos, é preciso, antes, transformar nossa mentalidade e recuperar nossa conexão com nós mesmos.

Embora exija esforço e perseverança, isso é possível. E há cinco passos para realizar a transformação necessária, de forma que sejamos capazes de estruturar a vida que almejamos.

1» Decida por aquilo que faz seu coração brilhar

É importante usarmos a razão para metrificarmos os ganhos e as perdas decorrentes de nossas decisões. Entretanto, o que de fato nos mantém conectados a nossa essência é tomar decisões baseadas naquilo que faz brilhar nossos olhos e vibrar nossos corações.

2» Seja responsável por tudo que acontece na sua vida

Isso se chama autorresponsabilidade. Não existe um culpado para as coisas que acontecem de errado, mas, se você se colocar como o responsável pelos erros e acertos do caminho, a jornada rumo ao sucesso fica mais leve.

3» Aceite o que você não pode mudar e enfrente o que você pode mudar

Por mais difícil que seja aceitar opiniões e ideias diferentes das suas, brigar com elas só vai trazer ainda mais estresse. Há, porém, muitas coisas que dependem sim de você. Por mais desafiadoras que elas sejam, é nelas que você deve concentrar seu foco e sua ação.

4» Aprenda a perdoar

Nada que ocorre em sua vida acontece por acaso. Quando algo o machuca ou o tira do eixo, isso é também uma oportunidade de crescer. No fundo, perdoar significa se doar novamente a quem feriu você. E essa é a essência da vida: ninguém quer ser mau. Contudo, ao receber o mal, você pode escolher entre responder com o seu pior ou entregar o seu melhor.

5» Agradeça

Temos a tendência de agradecer somente quando as coisas andam bem. No entanto, devemos agradecer também pelos momentos difíceis, pois são eles que nos ensinam e nos fazem crescer.

Minha história

Ao longo de minha jornada clínica, como psicóloga, e do meu caminhar como empreendedora e como ser humano, passei por diversos desafios. Atendi a muitos casos de pessoas que não sabiam nada sobre relacionamentos, muito menos sobre gerenciar suas emoções. Diante disso, o fracasso e a desistência de lutar por um sonho ganharam espaço no interior desses indivíduos.

Lembro bem de quando meu marido me abordou para conversar sobre nossa vida financeira. Ele acabava de sair de um curso de Inteligência Emocional, e hoje eu entendo que ele precisava desse curso para tomar coragem e me dizer: "Nossa vida financeira acabou".

Como ocorria com muitos casais que eu atendia na clínica, no meu casamento também não havia diálogo, nem compreensão. Nossa mentalidade era fraca, e o relacionamento não era saudável. Por isso, meu marido teve muito medo de me contar sobre nossa dívida, que chegou a 1 milhão de reais. Sem saber o que fazer e temendo demasiadamente repetir um padrão familiar, resolvemos assumir o poder e construir o futuro que queríamos. A partir disso, percebemos que nossas decisões precisavam, primeiramente, se basear no fato e na consciência de que não sabíamos nos relacionar um com o outro.

Nesse cenário, resolvemos tomar uma resolução em nome de nossa família: em vez de culparmos um ao outro, assumimos, cada um, a responsabilidade por nossos erros – afinal, conforme explicado acima, quando algo não vai bem, não existe um único culpado. Aceitamos o que não podíamos mudar e enfrentamos o desafio de pagar a dívida o mais rapidamente possível. E assim o fizemos, em apenas dez meses. Perdoando um ao outro, voltamos a nos doar para a relação. Como tínhamos tomado nossa decisão pela família, começamos a agradecer. Incrivelmente, quanto mais agradecíamos, mais coisas boas aconteciam em nossas vidas.

Depois de aplicar esses passos em minha trajetória, apliquei esse processo em todas as pessoas que chegavam até mim. Uma situação que marcou bastante foi quando recebi uma ligação desesperada de uma mãe que, aos prantos, me pedia socorro com seu filho. Um menino de apenas 18 anos, estava prestes a se matar. Levantei da cama correndo, sem perceber que já estava de madrugada e fui ao encontro daquela família na tentativa de "salvar" mais uma vida.

No caminho entre trocar de roupa, pegar o carro e ir até o menino, pensei nos diversos motivos que faziam alguém chegar ao ponto de não querer viver mais. Um filme passou na minha mente, lembrei das diversas vezes que, ao me deparar com um problema, também só via a morte como solução. Inúmeras vezes as pessoas se veem no fim do túnel e sem saída porque ficam lutando para sobreviver, ao invés de viverem a vida a sua maneira. Cheguei até o menino com o coração leve, sem nenhum julgamento, acalmei o coração da mãe e consegui que ele abrisse a porta do quarto.

Entrei naquele quarto e só consegui ver um menino de 18 anos, com muitos sonhos e planos não realizados pelo medo e pelas inseguranças que carregava, a falta de habilidade de se comunicar com as pessoas a sua volta e falta de crença em si. Ele perdeu o brilho de viver porque se entregou ao medo, à tristeza, e por fim, ele já não se reconhecia mais, se perdeu dentro da sua própria casa. Naquele momento, pude entender os motivos que o fizeram tentar, pela terceira vez, o suicídio.

Mas é possível recomeçar, foi possível nesse caso e em tantos outros que eu conheci. Embora os medos sejam capazes de travar a vida, as inseguranças são capazes de nos desconectar dela e a falta de confiança em si mesmo é capaz de nos matar aos poucos. No entanto, você pode aprender através dos caminhos (im)perfeitos a construir a vida que merece. Descobri que, independentemente de nossos problemas, precisamos tentar viver antes de morrer. De fato, é importante aprender a recomeçar, quantas vezes for necessário. Se estiver difícil conseguir o resultado que você espera, faça uma pausa para se conectar consigo e para refletir sobre as coisas que realmente lhe são importantes.

Não existe vida perfeita, mas, para você, o que confirmaria que sua existência valeu a pena? Responder essa pergunta é fundamental para começar a trilhar a caminhada rumo à existência que você tanto deseja.

Não há outro sentido para viver se você não se tornar melhor todos os dias. Há uma linha tênue que você precisa revisar. O que sustenta essa linha são seus relacionamentos e a forma como você gerencia suas emoções. Assim, seguir o passo a passo descrito anteriormente trará a clareza necessária para que você viva a vida (im)perfeita, buscando realizar todos os seus sonhos.

É PRECISO MUDAR A NOSSA MENTALIDADE E AUMENTAR A NOSSA CAPACIDADE DE GERENCIAR NOSSAS EMOÇÕES PARA VIVER A VIDA COM MAIS LEVEZA E SENTIDO. É NECESSÁRIO DECIDIR VIVER ANTES DE MORRER.

Lucinha Silveira

Empresária, atua como especialista no mercado da moda Festa e Noivas como estilista há mais de trinta anos, com a marca que leva o seu nome: Atelier Lucinha Silveira. Palestrante e escritora, é também coautora do livro *Estressadas: o manual da mulher do século XXI* (2021) e coordenadora e coautora do livro *Vista-se para o sucesso*. Mentora de estilo profissional e estrategista de imagem, criou os métodos de construção e gestão de imagem My Style, GPS do Estilo e a mentoria Vendendo Moda, voltada para lojistas. Possui diversas formações e cursos em moda, tanto nacionais como internacionais. Venceu o Prêmio Sebrae Mulher de Negócios e o Prêmio Mulheres Essencialmente Capazes, da Fecomércio PR.
Instagram: @lucinhasilveiraoficial e @atelierlucinhasilveira

Jessica Alebrandt

O PODER DA (IM)PERFEIÇÃO NA ORIGINALIDADE DO SEU ESTILO

Quantas vezes você já se olhou no espelho e se questionou: "A imagem refletida aí me traz alegria ou descontentamento?"

É muito comum escutarmos pessoas fazendo comentários pejorativos sobre si mesmas quando são convidadas a contarem o que sentiram ao se olhar no espelho. Muitas enfatizam partes do corpo que lhe incomodam ou verbalizam algo que gostariam que fosse diferente, como "preciso emagrecer", "essa minha barriga está tão saliente", "meu braço está enorme", "estou ficando velho", "parece que nada fica bem em mim", e por aí vai! Raramente encontramos pessoas com sua autoestima elevada que se curtem e se acham autênticas e incríveis, mesmo não sendo perfeitas!

Gerir a sua imagem com originalidade, valorizando e assumindo com alegria suas (im)perfeições, além de ter segurança e confiança, é uma tarefa desafiadora, mas que traz uma vida leve e plena.

Meu compromisso com você neste capítulo está em contribuir na construção da sua melhor versão, que você, através da sua imagem, projete com clareza a essência de quem você é, faz e acredita. Existem algumas dores que assombram muitos profissionais com relação a sua imagem. Duas das principais são a insegurança diária por não saber se vestir com estilo e personalidade; e a percepção de se vestir mal. Ambas resultam em vieses negativos, potencializam a baixa autoestima e geram angústia e frustração. A causa dessas dores se deve a escolhas equivocadas, feitas sem intenção clara. Mais especificamente em relação ao ambiente profissional, a dificuldade em decidir a roupa que irá representar quem você é no trabalho é um sintoma de que algo precisa ser resolvido mais profundamente: sua identidade visual.

Para dar a medida de como vestir-se bem é realmente algo impactante, as roupas são um dos pontos de destaque do livro *A Lei do Triunfo* (José Olympio, 2014), do escritor norte-americano Napoleon Hill. A obra, que se tornou um clássico, tem um capítulo inteiro dedicado à importância das vestimentas, intitulado "A Psicologia do Vestuário", que chega à conclusão de que, de alguma maneira, seremos sempre julgados por nossa maneira de nos vestir – seja positiva ou negativamente. Por isso, devemos ter esse conceito muito bem resolvido dentro de nós. A cobrança exacerbada da sociedade com relação à vestimenta, que enaltece o valor da imagem externa, muitas vezes chega a ter traços de crueldade, de alguma forma, porém quero ressaltar aqui que a visão que quero transmitir é que o seu bem-estar e sua alegria de viver ao estar vestida deve estar acima de tudo! Vamos, então, a algumas situações que você ou alguém que conheça possa ter experienciado:

1» SENTIR INSEGURANÇA AO COMPOR OS LOOKS E ACABAR POR ESCOLHER SEMPRE AS MESMAS ROUPAS

Analise se você está se acomodando em escolhas práticas por realmente se conectar com o estilo minimalista ou por não querer se incomodar ou se destacar, transmitindo uma imagem mais estilosa e conceitual.

2» ELEGER A COR PRETA COMO ESCOLHA DIÁRIA

Esta é uma decisão que é, aparentemente, mais fácil, mas não passa de uma concepção banalizada: "Use preto que não tem erro!". Essa escolha é um exemplo do que pode ir na contramão de imprimir autenticidade ao seu estilo, demonstrando até, em alguns casos, falta de criatividade. Saia do óbvio!

3» NÃO ACEITAR SUA PRÓPRIA SILHUETA

Este é outro fator que atrai os fantasmas da dúvida, e sua cabeça se enche de questionamentos: "Será que estou bem?"; "terei a aprovação das pessoas?". Sabe aquela sensação estressante, em que a pessoa se sente feia e inadequada, ou que nada lhe cai bem, mesmo depois de gastar um bom tempo provando roupas? Ou, comparecendo a um compromisso importante, se sente mal com a roupa que vestiu, ficando com aquela dúvida: "Será que fiz a melhor escolha?".

Se você já passou por isso, sabe que não é nada confortável. Por mais bem resolvida que uma pessoa seja, se ela não acertou o *dress code* de alguma situação, tem grandes chances de se sentir malvestida, desconfortável e desapontada.

4» SE VESTIR BEM CUSTA CARO

Há, ainda, a crença de que é necessário investir altos valores para se vestir bem, o que é uma inverdade. Existem diversas ferramentas disponíveis para que você construa um guarda-roupa versátil e elegante.

Ao longo de minha trajetória como estilista e estrategista de imagem, testemunhei diversos casos desse tipo: profissionais que eram excelentes em suas áreas e, mesmo assim, não obtinham bons resultados e não eram bem remunerados ou reconhecidos. Um dos motivos mais evidentes que explicavam tal contradição era que a aparência deles não transmitia a confiabilidade e a segurança compatíveis com os cargos que eles desejavam ocupar. Muitas vezes, inclusive, eram ofuscados por concorrentes não tão competentes quanto eles, mas que estavam melhor posicionados em sua comunicação visual.

Existem roupas que não transmitem confiança e credibilidade a sua imagem. Ao deixar de dar a verdadeira atenção a isso, você pode perder a oportunidade de ser valorizado como o bom profissional que é, perdendo desde promoções até possibilidades de bons negócios. Vi, igualmente, muitos clientes com guarda-roupas abarrotados de peças desconexas, que não combinavam umas com as outras – uma situação que gera aquela conhecida sensação: "Não tenho NADA para vestir!".

Há, ainda, aqueles que se sentem infelizes com seu peso e esperam, por exemplo, ficar mais magros para investir em sua imagem. Dessa maneira, adiam oportunidades de crescimento e, consequentemente, aumentam seu recalque. Não é preciso esperar estar com o corpo perfeito para fazer esse investimento em você mesmo. Aliás, aceitar, de uma forma geral, suas vulnerabilidades não gera impedimentos à elegância e, por consequência, a uma conexão maior e mais produtiva com clientes.

Considerando todos esses cenários, pode-se dizer que os 3 principais motivos pelos quais a maioria das pessoas não investe em uma gestão de imagem são:

1. Acreditar que isso é banalidade e, portanto, que não é prioridade.
2. Consumir conteúdos disponíveis na internet a respeito do assunto e colocá-los em prática sem estratégia.
3. Buscar a opinião de cônjuges, parentes e amigos sobre suas roupas e acreditar que essas ideias serão suficientes para norteá-los no quesito vestir-se bem.

O que a maioria desconhece é o fato de que um gestor de imagem é capaz de orientar a construção de uma imagem estratégica, forte e personalizada – que irá potencializar, de forma impactante e decisiva, seus resultados profissionais.

COERÊNCIA E INTENCIONALIDADE NA VESTIMENTA

Conforme já mencionado, a principal causa de as pessoas não perceberem a incoerência entre o que fazem e o que projetam, por meio de sua imagem, é o desconhecimento sobre como se vestir com intenção, utilizando peças que lhes favoreçam e que representem o que seu trabalho ou sua empresa querem, de fato, transmitir. Ou seja: uma imagem estrategicamente construída é capaz de posicionar profissionais e empresas de forma adequada aos seus clientes, o que implica mais credibilidade e, consequentemente, maior potencial de lucratividade. Em outras palavras, por meio da estratégia de gestão da imagem profissional, você terá maiores chances de solidificar suas relações profissionais e, assim, de conquistar seus objetivos.

Mas, então, como fazer essa construção estratégica?

Isso passa pelo entendimento do seu estilo e da sua exclusividade, que viabilizará a gestão da sua imagem profissional rumo a um futuro incrivelmente promissor. O modo de se vestir expressa, de forma não verbal, quem somos intimamente, refletindo todo o nosso ser. O estilo é tão marcante na expressão da personalidade que Mademoiselle Coco Chanel tem uma frase que se eternizou "A moda passa, o estilo permanece".

MÉTODO GPS DO ESTILO

Durante minha longa jornada profissional no universo da Moda e Estilo, entendi a necessidade e o mecanismo da construção de imagem das pessoas, o que me permitiu criar e aperfeiçoar uma metodologia que intitulei de GPS do Estilo. Muitos empresários e profissionais de diversas áreas que vivenciaram o processo desse método tiveram suas vidas profissionais transformadas. Eles passaram a compreender que a imagem "fala" por nós e que podemos utilizá-la a nosso favor, transmitindo nossa mensagem não mais de forma vaga, e sim com propósito, o que aumenta exponencialmente a chance de conseguirmos resultados extraordinários em nossos trabalhos.

Nesse método de gestão da imagem, que possui várias etapas, avaliamos a imagem atual que o cliente tem de si mesmo e a imagem ideal que ele deseja construir, conforme seus objetivos e suas necessidades. Um dos primeiros passos do método é a identificação do estilo da pessoa – cada um tem seu próprio estilo, que, por meio de técnicas de autoconhecimento, é entendido e revelado. Além disso, são feitas análises corporais e cromáticas. O método também passa orientações para a composição de *looks* estratégicos e dá sugestões de peças essenciais a serem adquiridas para a criação de um guarda-roupas funcional. Ademais, é fornecido um dossiê personalizado.

Compartilho, a seguir, seis passos do GPS do Estilo. Você poderá colocá-los em prática agora mesmo e mudar a sua relação com o vestir, construindo, assim, sua melhor versão. Vamos a eles:

1. Defina a imagem que você deseja projetar, conforme suas necessidades, seus gostos e seu estilo de vida. Estabeleça qual papel será representado

por meio dessa imagem, de acordo com os atributos desejados. Por exemplo: um profissional bem-sucedido, seguro, discreto, elegante, jovial, competente, confiante etc.

2. Faça o roteiro de sua rotina profissional semanal e mapeie qual imagem você deseja transmitir no dia a dia, pensando em situações específicas. Por exemplo: segunda-feira de manhã, reunião de diretores – traje mais formal; à tarde, visita ao cliente para fazer uma apresentação – roupa mais informal. Quando você se habituar a programar, de modo estratégico, seus *looks* de trabalho, sentirá que seu visual é tão valioso quanto suas habilidades profissionais.

3. Faça um *detox* no seu armário, elegendo as peças que você realmente ama usar. Não aceite menos que isso! Se a roupa ficou mais ou menos, desapegue dela e a descarte. É libertador ter um guarda-roupas somente com peças que você verdadeiramente gosta de vestir e nas quais você se sente incrível. Esses trajes levarão você a outro patamar profissional. Acredite!

4. Monte um guarda-roupas com peças que combinem entre si. Desse modo, você será capaz de multiplicar seus *looks*. No entanto, certifique-se de que as peças estejam, acima de tudo, alinhadas com seu objetivo de imagem. Prove as roupas, se olhe no espelho, em vários ângulos, se fotografe e avalie como você se sente. Você irá fazer isso apenas uma vez na vida. Depois, é só manutenção.

5. Sinta-se feliz ao se vestir de você mesmo!

6. Repita, sempre, os passos 2 e 3.

Case de sucesso do GPS do Estilo

O GPS do Estilo já ajudou muitos homens e mulheres a melhorarem a autoestima e a autoconfiança, levando-os a conquistar o espaço profissional que desejavam.

Vou contar o caso específico de uma cliente, para que você tenha ideia do quanto uma gestão de imagem estratégica pode ser o ponto de virada na vida de alguém. Uma cliente confessou a mim que sua vida parecia estar em preto e branco. Essa mulher parecia não gostar de si mesma. Usava sempre as mesmas roupas escuras para disfarçar o excesso de peso e trabalhava no mesmo espaço havia muitos anos, como se estivesse no piloto automático.

Mesmo sendo excelente profissional, ela não se destacava. Costumava dizer que se sentia invisível, que fazia seu trabalho bem-feito e que, por mais que se esforçasse, não recebia elogios ou recompensas. Até mesmo seu relacionamento conjugal estava sendo afetado por sua acomodação e inércia. Então, resolvendo que queria mais da vida, ela decidiu dar um basta nessa situação e acabou chegando até mim.

O poder da (im)perfeição na originalidade do seu estilo

Ela passou pelo processo de gestão de imagem e, em sua primeira tarefa, na arrumação de sua gaveta de lingeries, uma pessoa vaidosa, que se amava, foi revelada. Teve a consciência de se libertar de usar apenas roupas pretas, das rotinas robotizadas ao se vestir e ao se posicionar. Aceitou-se e fez as pazes com o espelho.

Quando ela menos esperava, já estava em seu peso ideal, porque se sentiu motivada pela transformação diária que via. Confesso que ela foi uma cliente exemplar no quesito fazer os exercícios e tarefas que lhe foram propostas e, acima de tudo, confiar em mim e se entregar ao processo transformador.

Isso trouxe resultados em sua vida profissional: após a readequação de sua imagem, recebeu uma proposta para assumir um cargo de liderança regional do estado onde trabalhava. Hoje, sua relação com o mundo tem um colorido especial e, por onde passa, ela transmite alegria de viver e a felicidade por estar vestida de si mesma. Esse é o poder da gestão de imagem estratégica!

Tirar partido do vestuário para se diferenciar e se destacar é uma decisão íntima e exige disposição para estudar a si mesmo e, assim, revelar o seu melhor, utilizando técnicas e ferramentas que transmitam ao mundo a beleza de ser quem você é.

Portanto, reforçar sua identidade visual por meio da construção de uma imagem estratégica é parte essencial do processo de trazer o sucesso para o enredo de sua história. Tenha consciência de que o vestir é muito mais do que cobrir o corpo: é uma poderosa ferramenta de comunicação e conexão com o mundo, capaz de transmitir sua verdade e sua mensagem, sejam elas quais forem.

Por que não, então, fazer de hoje o dia em que você irá dar seus primeiros passos em direção a essa nova realidade? Para isso, é muito importante que você assuma algumas atitudes, descritas a seguir.

Tenha autoconfiança

Vista-se com propósito e estratégia, como se você sempre estivesse indo rumo ao fechamento do melhor negócio de sua vida. Envie essa mensagem para sua mente ao se produzir para o trabalho – faça isso com capricho, cuidado e autoamor. Nada, nem ninguém, seguram um profissional seguro de si.

Seja interessante

Sua imagem deve provocar boas sensações em você e nas pessoas ao seu redor, bem como inspirar respeito, credibilidade e admiração. Por meio dela, gere curiosidade e desperte em quem está ao seu lado o desejo de conviver com você, de estar perto e de estabelecer conexões profissionais com você. Uma imagem agradável e elegante provoca todos esses sentimentos.

Valorize-se

Em um mundo onde se usa filtro para tudo, assumir a delícia de sermos nós mesmos nos leva a um prazeroso encontro com nossa essência genuína. Há beleza em todo o seu ser, mesmo nas suas charmosas imperfeições, acredite! A sua imperfeição pode ser o seu superpoder se você souber valorizá-la.

Seja você mesmo

Assuma com orgulho seus pontos fortes e se conscientize daqueles que necessitam de melhorias. Não tenha receio! A imperfeição é inerente a todos os seres humanos, e a vulnerabilidade conecta seu coração com o das pessoas.

E, por fim, nunca se esqueça: Você é uma obra-prima!

Ninguém tem sua voz, seu olhar, seu sorriso, seu jeito, seu conteúdo, sua energia e, principalmente, seu estilo único de ser. Aproprie-se dessa **unicidade** que o Criador lhe concedeu e seja feliz! Lembre-se de que você tem autonomia para construir seu sucesso e assuma esse poder. O melhor momento para investir na gestão de sua imagem é agora.

O mundo espera por você!

UMA IMAGEM ESTRATEGICAMENTE CONSTRUÍDA POSICIONA PROFISSIONAIS E EMPRESAS DE FORMA ADEQUADA, DANDO MAIS CREDIBILIDADE E MAIOR POTENCIAL DE LUCRATIVIDADE.

Rosa Izelli

Mestre em Administração pela Fundação Getulio Vargas. Professora de graduação e de pós-graduação e chefe de departamento da Universidade Estadual de Maringá (PR). Diretora da incubadora Tecnológica de Curitiba (PR). Secretária municipal de indústria, comércio e turismo de Maringá. Presidente do Instituto Tecnolope. Especialista em Parapsicologia Clínica, pelo Instituto de Parapsicologia do Paraná. Formada em Krya Yoga pelos ensinamentos do Mestre Espiritual Paramahansa Yogananda, nos Estados Unidos. Especialista em Programação Neuro-Linguistica, pelo Elsever Institute de São Paulo. Terapeuta de thetaheling e reiki. Ativista quântica, treinada pelo cientista e físico nuclear Amit Goswani. Formada em Hipnose Ericsoniana, pelo ACT Institute São Paulo.

Linkedin: Rosa Izelli
WhatsApp: (44) 99973-2653

Bulla Jr

Compreender e ressignificar a vida

Atualmente, observamos que muitas pessoas encontram dificuldades em determinar seu próprio futuro e construir a existência de que gostariam de usufruir. Tais obstáculos subtraem a vitalidade, fazendo com que a vida fique sem sentido, já que as pessoas permanecem em um eterno círculo vicioso de dor e sofrimento. Os maiores problemas que estas pessoas enfrentam são: a ansiedade, oriunda do medo e, às vezes, do pânico, em relação ao futuro, o que torna a pessoa infeliz, insegura e irritada consigo, com tudo e com todos. E, também, a depressão, que ocorre pelo apego ao passado. A pessoa não se conforma ou não aprende com os resultados obtidos, avaliando-os sempre de modo negativo e responsabilizando-os por sua dor, seu sofrimento e sua infelicidade.

Segundo a Organização Mundial da Saúde (OMS), "apenas no primeiro ano da pandemia da covid-19, 53 milhões de pessoas desenvolveram depressão, outros 76 milhões tiveram ansiedade – totalizando 129 milhões e altas de 28% e 26% de incidência, respectivamente. Em 2019, a OMS já estimava que quase 1 bilhão de pessoas viviam com algum transtorno mental, sendo que a ansiedade representava 31% desse total e a depressão, 28,9%", conforme dados coletados pelo portal R7 Saúde, em junho de 2022.

O relatório da Organização Mundial da Saúde informa que, em 2016, no Brasil, a depressão atinge 5,8% da população, e a ansiedade 9,3% da população, segundo reportagem publicada por Veja Saúde, em fevereiro de 2017.

Já estudos da Medley, coletados em 2022, apontam que são sintomas da ansiedade: preocupações, tensões ou medos exagerados, sensação contínua de que algo ruim vai acontecer, medo extremo de algum objeto ou situação, medo de ser humilhado publicamente, descontrole dos pensamentos e atitudes, pavor depois de uma situação muito difícil. Os sintomas da depressão são: pensamentos negativos, culpa, sensação de inutilidade, baixa autoestima, tristeza, desânimo.

Tais problemas decorrem de um condicionamento mental que leva a pessoa ao autoabandono, ao isolamento social, à apatia e à falta de vontade de viver. Aqueles que padecem desse quadro travam, dentro de si mesmos, uma batalha com seus piores inimigos: a autossabotagem, a zona de conforto e a procrastinação. Vivem inconscientes, enjaulados pelas grades de uma prisão mental construída ao longo de suas vidas.

Há, além disso, situações que impedem a pessoa de viver com plenitude. São elas: ignorar que é possível sair do mencionado círculo vicioso de dor e sofrimento e, assim, sentir a alegria de viver; e tornar-se vítima de uma programação mental que a faz viver presa ao passado, sem a consciência de quem realmente é e do que está fazendo no planeta Terra. Isso ocorre pelo fato de estar adormecida, hipnotizada por suas crenças negativas – arraigadas em si desde o período de sua concepção até a idade adulta.

Estar preso na própria mente produz sentimentos e sensações características, tais como: inutilidade, culpa, vergonha, orgulho, escassez, desesperança, automenosprezo, auto-ódio, constrangimento social etc. Dentre tais sentimentos e sensações, os mais comuns são: a culpa, com a sensação de que se é uma pessoa impostora, uma fraude humana, sem merecimento de viver, e que leva à vergonha e ao constrangimento social. Esse processo dolorido e sofrido ocorre porque a pessoa crê que não corresponde às expectativas dos outros – sejam eles de sua família ou não. A vida é vivida com o olhar e atenção para as coisas externas. Além também do orgulho, que impede a pessoa de se aceitar como é – para, depois, ser quem realmente é. Esse viés também é sofrido e dolorido, além de provocar grande solidão e ser um facilitador do uso de máscaras por parte da pessoa que, assumindo um gesto desesperado de comportamento social, tenta escapar da dor da rejeição. Nesse contexto, a pessoa vive na ignorância de não se conhecer, de não ter um relacionamento saudável consigo e, consequentemente, com os outros também. Isso acaba colocando-a em uma situação de extrema carência afetiva, na qual ela se vê abaixo dos outros, se sentindo inferior a eles e indigna de amor, o que a leva à triste condição de mendigar afeto.

Percebendo-se impedida de sair desse estado de coisas, a pessoa fica paralisada. Os dois maiores motivos que a coíbem de se libertar são, em primeiro lugar, de acordo com os estudos apresentados por Pedro Grisa, em *O Jogo e a Estrutura das Personalidades* (Edipappi, 2006), os possíveis traumas vivenciados nas várias fases da existência, antes de se atingir a vida adulta: na concepção, impactada, conforme o momento da concepção; na gravidez (se houve rejeição em si ou quanto ao sexo da criança). É nessa fase que a mãe sente, imagina, vive, afeta o bebê, programando a mente subconsciente dele; no parto, tenha sido ele natural ou cesárea, difícil e muito demorado, ou muito rápido, com o uso de fórceps, por exemplo. É quando o bebê tem seu primeiro contato com o mundo externo; na infância, fase na qual a criança absorve as programações mentais subconscientes que definirão sua vida como adulto; na puberdade e na adolescência, período em que o jovem carrega em seus corpos (físico, emocional e mental) as alegrias, as tristezas e as dores das fases anteriores.

Outro motivo é a falta de compreensão sobre a própria existência como ser humano, ao se atingir a vida adulta e, também, durante ela. Como adulto, a pessoa vivencia dogmas, conceitos sociais e familiares que a levam a viver, inconscientemente, uma vida baseada em valores que estão fora dela – basicamente, em termos materiais. Tal estilo de vida a leva a sentir um vazio no peito e uma sensação de desconexão consigo e com o mundo exterior, possibilitando, inclusive, a instalação de depressão e de ansiedade, intensificando-se a percepção de falta de sentido para a própria vida.

Para reverter essa situação estagnada, é preciso que cada um escute a voz de seu coração e viva o sentido de sua vida. Isso passa por compreender que nós, humanos, somos seres espirituais vivendo uma experiência na matéria. É necessário, portanto, que estejamos dispostos a compreender o que é, de fato, nos conectarmos a nossa espiritualidade. É justamente esse o resultado da aplicação de minha metodologia, que visa levar quem a utiliza a percorrer o caminho do autoconhecimento, que a levará a sentir essa conexão espiritual e, consequentemente, à cura interior.

Trata-se de um caminho que nos tira daquele círculo vicioso de dor e sofrimento referenciado anteriormente, gerando transformação pessoal, por meio do despertar para quem realmente somos e da conscientização a respeito do que estamos fazendo neste planeta — nos levando para o círculo virtuoso da alegria de viver. Nesse processo, portanto, compreendemos e ressignificamos a própria vida.

Para as pessoas que questionam o sentido da própria vida, eu reforço: o caminho é ouvir a voz do próprio coração, e é isso que eu ofereço em minha metodologia. Essa é a maneira de fazer a conexão com o seu ser verdadeiro, com a real essência humana, que vai te despertar para a vida com propósito e te fazer sentir alegria, sem motivo algum — apenas por estar vivendo uma vida com sentido.

A seguir, exponho a metodologia para realizar tal conexão.

1» A ESCOLHA

A pessoa ESCOLHE sair do círculo vicioso de dor e sofrimento e entrar no círculo virtuoso da alegria de viver.

2» O COMPROMISSO

É preciso ter disciplina, perseverança e constância para sair do ponto A — situação atual, de dor e sofrimento — e chegar ao ponto B, o ideal a ser atingido: viver com prazer, paz e liberdade interior. Ou seja, a experiência de uma vida dotada de sentido.

3» O CAMINHO

A mente em dor e sofrimento está repleta de informações externas. Isso nos impede de ouvirmos nossa voz interna, a voz do coração que mencionei. Para que se possa ouvir essa voz, é preciso aprender como atingir o silêncio mental — e isso é feito por meio de meditação, que traz a clareza de que precisamos para ouvirmos essa voz de dentro de nós.

4» OS DESAFIOS

A mente humana é condicionada a funcionar com base em programações subconscientes limitadas, direcionadas para a sobrevivência. Nesse sentido, o cérebro pode desenvolver estratégias para que a pessoa sobreviva e, muitas vezes, elas incluem procrastinar, ficar na zona de conforto ou se autossabotar. São esses os nossos verdadeiros inimigos internos e o desafio é combatê-los.

5» A AUTOSSUPERAÇÃO

À medida que a pessoa progride em sua capacidade de atingir o silêncio mental, as vozes internas serão mais facilmente identificadas. Assim, a pessoa consegue fazer uma distinção entre as vozes de sua mente condicionada, descrita no passo 4, e as vozes de seu coração, as vozes de seu eu verdadeiro, aprendendo a ouvi-las e, assim, a utilizar sua força de vontade para dominar os impulsos negativos. Ser capaz de ouvir as vozes do coração eleva a consciência, permitindo que a pessoa se posicione no mundo como um ser que está em um processo de descobertas internas. Dessa maneira, ela passa a compreender e a respeitar não só a si própria, como aos demais seres do planeta (minerais, vegetais, animais e humanos), percebendo que todos possuem um propósito de vida.

6» A ARTE DE OUVIR O CORAÇÃO (SER QUEM REALMENTE É)

Nessa fase, após ter saído do círculo de dor e sofrimento – e, assim, compreendido e ressignificado o passado e superado as carências –, a pessoa alinha seus pensamentos, sentimentos, palavras e ações, começando a pensar, sentir, falar e agir de forma positiva e consciente, para o seu próprio bem e para o bem de todos.

Aqui, aprende-se a arte de compreender o passado. Por meio desse processo, a voz do coração da pessoa a conduz ao perdão e à gratidão, em relação a si mesma, a todas as pessoas com quem ela conviveu e a todas as experiências vividas. Tendo superado seus medos e aprendido a se amar e se aceitar incondicionalmente, a pessoa se sente segura para se mostrar ao mundo como ela verdadeiramente é. Assim, ela supera suas carências e sai do círculo de dor e sofrimento, alinhando seus pensamentos, sentimentos, palavras e ações – passando a pensar, sentir, falar e agir de forma consciente e positiva para seu próprio bem e para o bem de todos. A alegria brota facilmente de seu coração, conforme já mencionado, apenas pelo fato de se viver a experiência terrena de forma plena, ou seja, apenas sendo quem é, sem uso de máscaras.

Exemplo pessoal da aplicação da metodologia

Precisei desenvolver – e usar – esse método para superar as perdas pessoais e materiais que tive ao longo da minha vida. Essas situações, quando aconteceram, me fizeram sofrer muito e sentir uma grande dor, tanto emocional quanto mental – parecia que eu tinha caído em um grande abismo. Quando eu me dei conta de quão profunda havia sido minha queda, percebi que, se quisesse me salvar, teria que:

a. Fazer uma ESCOLHA
Aprender com meus erros e não reclamar, para conseguir sair da dor e do sofrimento e viver com dignidade – ou, do contrário, ficaria doente e infeliz para sempre.

b. Assumir um COMPROMISSO com a minha cura
Era necessário escalar o abismo no qual eu caíra, compreender a mensagem dessa dor e sofrimento. Precisei ter disciplina, perseverança e constância, a fim de viver com paz, liberdade interior, autorrespeito e compreensão da mensagem advinda das adversidades.

c. Percorrer o CAMINHO que vi diante de mim
O primeiro passo para começar a percorrer esse caminho foi aprender a silenciar minha mente; a desligar o diálogo interno da crítica, do julgamento e da vitimização para entrar no processo de autoconhecimento, que me permitiu ser honesta comigo e reconhecer todas as máscaras que eu usava. De tão pesadas, elas me deixaram cega e surda, a ponto de eu ter caído nas armadilhas que me levaram às referidas perdas – e, consequentemente, a me sentir desrespeitada e humilhada.

d. Identificar OS DESAFIOS dessa jornada
Forças contrárias dentro de mim (procrastinação, zona de conforto e autossabotagem) tentaram me impedir de percorrer esse caminho. Como falamos, a mente humana é condicionada a funcionar com base em programações subconscientes, direcionadas apenas para a sobrevivência. Então, qualquer sinal de mudança que leve a alterações comportamentais é interpretado como perigo para a sobrevivência, e faz com que a mente dispare gatilhos de autopreservação para que se continue no estado de dor e sofrimento.

e. Promover minha AUTOSSUPERAÇÃO
Ao me aprofundar no autoconhecimento e na busca das respostas às perguntas "Quem sou eu?" e "O que estou fazendo aqui?", consegui perdoar a mim mesma e a todas as pessoas que me machucaram e agradecer por todas as experiências que

vivi, que me despertaram e me tiraram do sono profundo em que eu estava imersa. Senti que estava me curando e passei a ajudar outras pessoas a se curarem também.

Conclusão

É importante incorporar a nossa existência aquilo que traz sentido a ela, ou seja, o aprendizado consciente para evoluir como ser humano. Conforme vai ocorrendo o processo de cura interior, o ser humano reconhece que merece e pode viver a abundância, a prosperidade, a harmonia, o amor e a saúde.

Recomendo a você que busque a força e a beleza de seu mundo interior, com a certeza de que nada pode lhe tirar sua paz, que deve ser sagrada. Assim, procure, primeiramente, conhecer o sagrado que está em seu interior – isso é feito quando a pessoa segue a voz de seu coração, percebendo seu verdadeiro sentido de vida. É dessa forma que se vence a batalha mais importante da vida, porque você supera a si mesmo, passando a se conhecer, a se dominar, a se transformar, a ressignificar o passado e aprender com ele, a compreender, a aceitar, a perdoar e a agradecer. O acolhimento consciente da dor leva à compreensão da importante mensagem que ela traz e, por meio de todo o processo descrito, o sofrimento cessa. A vida é, finalmente, ressignificada, porque houve mudança na percepção de si próprio e no aprendizado que, ao mudar de um pensamento negativo para outro positivo, é possível desencadear uma cadeia benigna de sentimentos e ações. E foi assim que descobri que o pensamento é a chave mestra para transformar a vida.

Dois sentimentos estarão sempre presentes nessa jornada evolutiva de aprendizado: o perdão e a gratidão. O perdão, porque reconhecemos que todos estamos no processo de evolução; assim, deixamos de julgar. Dele advém a gratidão – passamos a agradecer a todos, por absolutamente tudo. Dessa maneira, a existência é, finalmente, vivida sem culpa e orgulho, e sim com alegria, paz e liberdade. Eu te convido a sentir a alegria sem causa, apenas por viver uma vida com sentido, ao ouvir a voz do seu coração.

Nós, humanos, somos seres espirituais vivendo uma experiência na matéria. É necessário, portanto, estarmos dispostos a compreender o que é, de fato, nos conectarmos à nossa espiritualidade. E, para isso, ouça a voz do próprio coração.

ESTILO DE VIDA E SAÚDE

Andréia Ribas

Adquiriu diversas habilidades ao se tornar empreendedora e ganhar destaque em ambientes exclusivamente masculinos. Desde 2017, trabalha como terapeuta, empregando terapias integrativas, como reiki, ginecologia natural, tarot, psicogenealogia evolutiva e biodécodage. Ministra whorkshops, palestras e realiza jornadas de autoconhecimento, por meio dos quais contribui para a cura biológica, espiritual, emocional e mental de seus pacientes e do público que a acompanha.
Instagram: @andreiaribas75
Facebook: Andréia Ribas

Leonel Silveira

Herdeiro da felicidade

Apesar das circunstâncias que nos envolvem, muitas vezes desfavoráveis, há grande possibilidade de construirmos o futuro que desejamos. Contudo, nós mesmos, sem saber ou desejar, criamos obstáculos para que isso ocorra. Muitos acreditam terem herdado as desventuras de seus antepassados ou que são vítimas das consequências de suas vidas passadas. Tais crenças produzem ou aumentam a ansiedade, a depressão, o desânimo, doenças de todos os tipos, além de trazerem problemas de relacionamento, tanto pessoais quanto profissionais. Sem saber a quem recorrer, instauram-se na vida dessas pessoas os sentimentos de solidão, desamparo e carência. Ao não terem referências, esses indivíduos negligenciam a autorresponsabilidade e ficam à mercê do próprio destino. Isso é o que eu chamo de desconexão com a origem divina.

Quando as pessoas sentem essa desconexão, pode surgir outro obstáculo: a entrega do comando da própria vida a religiões, mestres, sacerdotes ou gurus. Sem questionar ou duvidar dessas instituições ou pessoas, esses indivíduos se tornam escravos da ideia de que tudo é pecado ou carma. Desse modo, sucumbem aos problemas, acreditando que a realidade daquilo pelo que estão passando é a única possível. Influenciados por crenças e ideias adquiridas nessas buscas, acham que é errado, egoísmo ou ganância viver o que se deseja. E o resultado disso é que deixam de sonhar e passam a temer o futuro.

Admito que isso me traz indignação, uma vez que não precisamos, necessariamente, de intermediários para nos conectarmos com a espiritualidade; não necessitamos que outro nos diga o que fazer ou pensar. É preciso assumirmos a responsabilidade por nossas escolhas, estabelecermos nós mesmos uma linha direta com o Divino em nós. Dessa maneira, entramos em contato com a alma que nos habita e nos traz tesouros incríveis de vivências anteriores, as quais nos permitem conhecer o que vem de nossos antepassados, como suas experiências, lutas e vitórias, e nos apropriarmos disso.

As pessoas que estão presas a tais crenças apresentam, de modo geral, duas posturas que as prejudicam. Elas assumem que "sempre foi assim na minha família" e/ou que "estou pagando por erros de vidas passadas". Em razão dessas perspectivas, alguns indivíduos tendem a:

1. Assumir para si os efeitos dos problemas familiares, acreditando que, por conta dos históricos de doenças, relacionamentos ou da vida financeira vividos por parentes próximos, seu futuro nesses setores da existência será semelhante.

2. Atribuir um problema em seu relacionamento afetivo a uma traição ou violência cometida em outra vida; pensar que, se estão passando por alguma dificuldade financeira, é porque, em outra encarnação, roubaram ou se apropriaram indevidamente de algo, e assim por diante.

Ouço muito frases como as mencionadas anteriormente nas sessões de terapia. Algumas pessoas se sentem derrotadas, pois internalizam que não há o que fazer e se tornam presas do conformismo e da impotência. Há ainda as que não aceitam essas situações e se revoltam.

Alguns fatores fixam essas crenças impeditivas da construção do futuro que se deseja. O primeiro deles são as doutrinas religiosas. Conforme pesquisa Datafolha de 2022, hoje, no Brasil, predomina a Igreja Católica, com seus dogmas e sacramentos, seguida pelas denominações evangélicas e por outras religiões que concebem a reencarnação e o carma. Essas religiões pregam a existência de um deus punitivo, que castiga os pecados cometidos, ou, então, disseminam a crença de que o carma traz consequências negativas à existência presente. Aqueles que seguem tais religiões estão sempre "pagando" e acabam aceitando tudo o que os sacerdotes lhes imputam, na maioria das vezes, sem questionar.

Outro fator importante que desencadeia os problemas mencionados é a necessidade de pertencer. Pensar de maneira diferente do padrão traz o perigo do isolamento. A parte do cérebro responsável por nossos instintos de sobrevivência nos impulsiona a buscar a proteção do grupo, pois foi assim que sobrevivemos como espécie. Poucos desejam correr o risco de serem discriminados e julgados por familiares e amigos. Todos queremos ser amados e acolhidos.

Se eu pudesse resumir em uma frase a solução para guiar as pessoas ao futuro que desejam, eu diria, simplesmente: Liberte-se; sinta o Divino em você, aproprie-se da sua herança e construa seu legado de vitória. Em Genesis (capítulo 2, versículo 7) está escrito: "E formou o senhor Deus o homem do pó da terra, e soprou em suas narinas o fôlego da vida; e o homem foi feito alma vivente." Essa afirmação sugere que, em cada um de nós, há um fractal de Deus (ou como queira denominar). A isso chamamos alma. É ela que nos anima, que é fonte da vida, nossa energia vital. E é essa alma que vai e volta, habitando diferentes corpos. A cada viagem na matéria, ela traz os aprendizados adquiridos.

Em uma reportagem da *BBC News Brasil*, "'Melhora da morte': por que alguns pacientes graves melhoram antes de morrer?", publicada em junho de 2021, o biólogo Michael Nahm, que vem compartilhando seus resultados e resumos de casos junto com seus colegas desde 2009, comenta sobre a melhoria que o moribundo experimenta antes da morte, a chamada "lucidez terminal", assunto que voltou a se tornar mais frequente na literatura médica, como mostrou um levantamento dos últimos 250 anos. Observa-se no estudo o retorno da clareza mental que ocorre frequentemente nos últimos segundos, minutos ou horas antes da morte do paciente.

Nesse momento, a alma se apresenta à *persona* e promove uma compreensão da vida, levando a arrependimentos e reconhecimentos. É isso que a alma entrega à próxima *persona* que irá habitar: soluções.

A escolha da próxima encarnação da alma se dá por ressonância, uma vez que o Divino conhece a formação da *persona*, bem como os problemas que poderá enfrentar. Lembre-se de que cada pessoa é um ser único, especial e amado. As memórias da alma, lembranças de outras vidas são como um grande aporte para nossa caminhada terrena, as respostas estão dentro de você.

Mas esses padrões negativos podem, sim, ser transmutados, de modo que possamos assumir o poder de construir o futuro que desejamos. E, para isso, criei dois métodos a partir de técnicas de hipnose e Programação Neurolinguística (PNL), tendo aplicado com sucesso em meus pacientes.

1» RECONHECENDO O DIVINO EM VOCÊ: O INCONSCIENTE CONHECE O CAMINHO

Sente-se de maneira confortável; faça três respirações profundas, enchendo os pulmões até sentir o tórax pleno de ar. Agora, faça uma pausa e esvazie os pulmões totalmente, começando pelo tórax e seguindo para o abdômen. Em seguida, permita que a respiração flua naturalmente. Então, imagine-se em um lugar tranquilo. Observe os arredores desse local e encontre nele um ser de amor que será seu guia – pode ser um antepassado seu, um santo ou alguém que você muito admira. Assim que o identificar, deixe que esse ser o conduza. Não planeje para onde vai, apenas se deixe conduzir. Você está sendo guiado ao encontro do Divino. Permita que o Divino mostre SEU amor a você; sinta esse amor no seu coração. Conscientize-se de que você é a obra e ELE, o Criador; sinta-O em você, ouça-O dizer que ELE está em você. Deixe-se envolver por LUZ e, sempre que precisar, relembre essa LUZ a envolvê-lo.

2» ÁRVORE GENEALÓGICA SENSITIVA: RECEBENDO SEUS PRESENTES

Para realizar essa segunda técnica, siga os passos descritos anteriormente e permita que seu inconsciente se revele. Então, apenas se entregue e receba. Você vai visitar seus antepassados e receber de cada um deles um presente simbólico. Você pode receber flores, objetos... Não importa. Esses presentes serão signos e símbolos dos aprendizados deles que vibram em você e, agora, é você quem está tomando posse deles. Esses objetos levarão você a sentir o quanto é amado e o quanto seus ancestrais torcem por você – estando eles encarnados ou não.

Depois desses passos iniciais, pegue quinze folhas de papel sulfite, da cor que preferir, tamanho A4, e escreva seu nome, o nome de seus pais, de seus avós e de seus bisavós – um nome em cada folha. Em seguida, disponha as folhas no chão, começando pelas raízes, que serão os oito bisavós, em uma linha horizontal; acima dessa fileira, alinhe os seus quatro avós; depois, faça o mesmo com seus pais e, por fim, com você. O esquema deverá ficar assim:

Se não souber os nomes, escreva o grau de parentesco correspondente. Assim que montar a árvore, em um ambiente de respeito e amor, suba em cada uma das folhas, uma por vez, feche os olhos, receba o que cada um dos seus ancestrais têm para entregar a você e agradeça. Você pode preparar o ambiente com aromas, objetos e música que facilitem essa conexão. Então, nos momentos que precisar, traga à mente os presentes recebidos.

Eu mesma utilizei esse método e o apliquei diversas vezes, tanto em atendimentos individuais quanto em grupo. Os desdobramentos foram incríveis.

A seguir, relato alguns resultados que proporcionaram momentos verdadeiramente lindos.

Reconhecendo o Divino

A senhora L. se encontrava em um leito de hospital em razão de complicações renais crônicas. Imaginando que sua mãe a guiava, ela se viu no oceano. Ao longe, notou um ponto de luz que se aproximava. Percebeu, então, que era Deus e recebeu SEU amor. Em seguida, ouviu-O dizer que Ele estava nela e, com efeito, pôde senti-Lo. Então, ela se deixou envolver pela Luz, e esta lhe pareceu dourada (a luz percebida pode ser diferente para cada um). Ao abrir os olhos marejados, sentiu-se verdadeiramente agradecida. A senhora L. recuperou-se e curou-se da enfermidade que a acometia. Hoje, ensina a todos esse método e invoca a luz dourada sempre que necessário.

Árvore genealógica sensitiva:
recebendo seus presentes

Atendi a um cliente que relatava não conseguir encontrar o amor. Ao procedermos com o método da árvore genealógica, ele foi sendo tomado de amor e percebeu que sua origem vinha de casamentos muito sólidos e harmoniosos. Ele nunca havia pensado nisso. Ao sentir seus pais, soube o quanto os amava. Durante a prática, ele recebeu de seus antepassados chocolates e uma planta de bambu. Mesmo estranhando os presentes, ele se entregou ao processo. Uma semana depois, me ligou, espantado, dizendo que uma colega de trabalho havia lhe dado de presente de aniversário uma planta de bambu, "para dar sorte", e um bombom. Atualmente, eles são um casal.

Esses dois métodos tão simples o levarão a acessar os presentes de seus antepassados, ou os aprendizados das vidas passadas da sua alma, e a ter consciência de que não são pesos, mas sim dádivas. Com isso, você entenderá que é o poderoso filho amado de Deus, dotado de poder para transformar qualquer problema. Você terá a certeza de que jamais está sozinho, que tem em si o Todo Poderoso e todos os seus antepassados, de quem herdou sua genética. Em outras palavras, estará se conectando a sua origem divina e retomando o controle de sua própria vida.

Você pode utilizar essas técnicas para ter boa saúde, encontrar um amor ou fortalecer o que já tem, ganhar dinheiro, alcançar o sucesso, ser compreendido, superar seus medos, tomar decisões com facilidade, criar bem seus filhos, ser reconhecido, sair-se bem em provas e concursos e o que mais desejar. Desse modo, estará livre para ser quem nasceu para ser e, com sua verdadeira herança, tornar-se livre para viver o futuro que deseja.

Então, tome agora mesmo as rédeas da sua vida!

Liberte-se; sinta o Divino em você, aproprie-se da sua herança e construa seu legado de vitória.

BERNADETE MORAES

Bernadete Moraes é empresária, palestrante, psicanalista, hipnoterapeuta, pedagoga, pós-graduada em Educação Infantil, mestre em Educação, formada na técnica DMC e doutoranda internacional em Pedagogia Sistêmica.
Instagram: @moraesbernadete
YouTube: Bernadete Moraes

Julia Bernardi

Faça de sua dor sua maior força

O volume de informações que as pessoas recebem diariamente as deixa confusas e não permite que saibam o que, de fato, é importante em suas vidas. Isso, por si só, já causa elevados níveis de ansiedade, estresse e desespero. Segundo a OMS, no Brasil, em 2017, foi registrada uma média de 11,5 milhões de pessoas com casos de depressão. Além disso, o ritmo acelerado e a pressão que esses indivíduos vivenciam gera, neles, a necessidade de fazerem muitas coisas, motivados pelo desconhecimento daquilo que é realmente essencial na trajetória de cada um. Acabam, assim, realizando tarefas de modo automático e tomando atitudes que levam à tristeza e à sensação de solidão.

Percebo isso ao atender pacientes em consultório e notar que eles, ao final do dia, estão cansados, sem ânimo e com a sensação de que não fizeram nada, mesmo depois de uma jornada cheia de compromissos, na qual diversas atividades foram realizadas. Aos poucos, essas pessoas vão apresentando dificuldades de se relacionar com as outras e perdendo a vontade de viver, sentindo que sua existência deixou de ter sentido e propósito: não sentem prazer com nada e lhes falta motivação e alegria. Muitas vezes, a depressão se instala, e o quadro é marcado pelos sentimentos já citados, como a tristeza profunda, a ansiedade, o medo e a sensação de solidão.

Esses mesmos sentimentos assolam até mesmo aquelas pessoas que conquistam algo que almejavam – como sucesso financeiro, ou um relacionamento estável –, porque não se permitem usufruir dessas realizações, são incapazes de comemorá-las. Por terem aprendido padrões familiares de perdas, doenças, abandonos, rejeição e sofrimento, repetidos de geração em geração, esses indivíduos acabam sentindo mal-estar com seus sucessos, procurando culpados por tal sentimento e, em última instância, se autossabotam. Neles, além das sensações já citadas, identifico sobretudo o sentimento de fracasso.

Considerando esses cenários – de pessoas presas ao ritmo acelerado de suas vidas e com o sistema familiar desequilibrado – distingo dois sentimentos predominantes: o de vazio, ou seja, de ausência, de que nada nunca está suficientemente bom, de que sempre está faltando algo na vida; e o de não reconhecimento ou de não pertencimento, de não valorização, como se a pessoa estivesse sempre em busca da aprovação de alguém. No entanto, elas desconhecem que esse "alguém" são seus próprios pais; se esquecem de que todo filho, sem saber, age por amor cego a essas figuras e vai passar a vida toda buscando, em seu subconsciente, a validação de seu pai e/ou de sua mãe.

Esses sentimentos – de vazio e de não pertencimento – fazem com que a pessoa, inconscientemente, repita padrões, honrando os mencionados sofrimentos, perdas e doenças para se sentir digno do sistema que herdou, seguindo os passos de seus antepassados e não se permitindo agir de modo diferente. Escuto diversas vezes, por exemplo, afirmações como: "Meu avô perdeu todo o dinheiro da família e, depois, meu pai fez a mesma coisa". Essa pessoa vai repetir esse padrão, honrar o avô e o pai, dizendo a eles, inconscientemente: "Eu entendo agora o sofrimento de vocês, e sofro por vocês". Assim, nesse exemplo, essa pessoa segue também para perder todo o dinheiro da família, ou se não faz isso, não se sente merecedora de um eventual sucesso financeiro, porque, ao ser bem-sucedida, sente que está traindo seu sistema, sua história.

De acordo com informações do artigo "As doenças do coração e as emoções: conversações entre a psicossomática e a psicologia analítica", publicado em 2017, a principal causa para as prisões mentais em que as pessoas se veem, incapazes de superarem aquilo que as impede de aproveitarem a vida, é o desconhecimento das suas emoções e traumas que estão no seu inconsciente. Uma alternativa para cuidar disso é o conhecimento sobre as três leis do amor, do escritor e criador da filosofia da Constelação Familiar, Bert Hellinger: hierarquia, pertencimento e equilíbrio. Quando o indivíduo compreende essas leis e as aplica em sua vida, passa a sentir pertencimento em relação ao seu sistema, respeitando as hierarquias existentes – tanto na vida pessoal, quanto na profissional – e, assim, permitindo-se assumir seu lugar único no mundo. Por meio desse processo, ele aprende e reconhece o que é a inteligência transgeracional, conseguindo chegar a um equilíbrio e prosperar na vida, sem sentir o vazio e a solidão que, até então, o dominavam.

Reconhecer e desenvolver a inteligência transgeracional, bem como suas aplicações nas esferas pessoal, profissional e emocional, significa estabelecer conexão com as forças de seus antepassados, sobretudo com as de seus pais – força esta que, por mais que a pessoa a ignore, está a influenciando no momento presente e seguirá influenciando suas gerações futuras. A pessoa que não tem consciência da inteligência transgeracional não aceita seu pai e sua mãe como eles são, ficando presa nos defeitos que eles possuem – consequentemente, ela não aceita a si mesma, já que todo filho é composto por duas metades: uma, correspondente ao êxito e à direção, vinda do pai; e outra, de força de vida, abundância e prosperidade, oriunda da mãe. Sem a mencionada aceitação, a pessoa continua em sofrimento – e é justamente nele que está a origem da transformação.

Durante esse processo de aceitação, você irá se reconectar com seus antepassados e agradecê-los por tudo que recebeu deles, tenha você desejado essas coisas ou não, independentemente do comportamento dessas pessoas. Após conhecer as histórias – e se reconhecer nelas –, você poderá olhar para essas pessoas sem julgamento, devolvendo a cada uma aquilo que pertence a ela e levando consigo somente o que realmente for seu. Verá que, da imperfeição, nascem crescimento e presença. Por fim, aprenderá a respeitar as escolhas e os vínculos que foram feitos por seus antepassados e, assim, sentir o amor de cada um deles como um presente em sua vida.

Nesse sentido, é preciso transformar sua dor na sua maior força. As informações e emoções contidas nas gerações anteriores são a base para obter sucesso pessoal e financeiro, bem como para o equilíbrio das novas gerações e das que ainda estão por vir. Conhecendo sua própria história e a de seus antepassados, você fica consciente das atitudes e comportamentos de cada pessoa da família que veio antes de você, podendo identificar quais deles você repete e deseja parar de repetir. Ao mesmo tempo, será capaz de identificar os pontos fortes de seu sistema familiar, adquirindo a possibilidade de potencializá-los e, assim, ter uma vida melhor e mais próspera.

EXERCÍCIO PRÁTICO PARA DESENVOLVER INTELIGÊNCIA TRANSGERACIONAL

Vou descrever, a seguir, um exercício prático de relaxamento e de conexão com sua força interior, o qual desperta também a força de seus antepassados, de modo que você possa realizar sozinho, onde quer que esteja, o passo a passo aqui detalhado.

Sente-se em uma posição confortável e respire profundamente por três vezes. Sinta, de forma lenta e intensa, sua respiração.

Depois, de olhos fechados, imagine números bem grandes no céu e faça uma contagem regressiva de dez a zero. A cada número, você verá que se sente melhor e mais relaxado.

Quando chegar ao zero, se imagine em um lugar maravilhoso. Deixe sua mente criar esse espaço de forma livre. Repare nas cores e nos cheiros desse local, além das sensações que ele desperta em você. Sinta essa área que você criou. Você está feliz e seguro, e uma luz imensa e forte surge atrás de você, cobrindo todo o seu corpo.

Você dá um passo à frente, se vira em direção à luz e vê, em meio a esse clarão, seu pai e sua mãe. Eles estão bem e felizes, conversando abertamente.

Então, seus pais estendem os braços para você e permitem que você se conecte com eles, de forma que você comunique o que está sentindo. Nesse momento, diga o que você sente. O que você quer dizer para seu pai? O que você quer dizer para sua mãe? Fale tudo, absolutamente tudo, de forma verbal, para que você consiga ouvir as suas palavras.

Em seguida, ouça o que diz sua mãe e escute o que fala seu pai, se conscientizando das emoções que brotarem em você nesse momento.

Agora, se imagine caminhando lentamente. A cada passo, você vai voltando a ser a criança que todos temos dentro de nós. Imagine que seus pais peguem a criança (você) no colo, fazendo você se sentir seguro, acolhido e amado. Sinta esse amor profundamente!

Eles colocam a criança no chão, e você retorna ao seu lugar, com sua idade atual. Depois, você olha para os dois e diz: "Eu sinto muito. Perdoem-me. Eu perdoo vocês. Eu me perdoo. Eu agradeço. Eu amo vocês. E, neste momento, peço permissão para fazer diferente. Com reconhecimento, amor e respeito, eu deixo com você, mãe, e deixo com você, pai, o que é de vocês, e não é meu. Por favor, me permitam tomar somente o meu lugar de filho. Autorizem-me a ter sucesso e saúde e a ser feliz! Abençoem-me".

Coloque, então, as mãos sobre seu coração e repita: "Eu nunca mais me sentirei sozinho. Agora, eu aceito a força do meu sistema".

Para finalizar, conte, dessa vez, de zero a dez, trazendo a força de seu pai e de sua mãe para você a cada número que passar. Após o número dez, faça mais uma respiração bem profunda e abra os olhos.

CASE DE SUCESSO DA APLICAÇÃO DO EXERCÍCIO

Já apliquei esse exercício, com sucesso, em empresas nas quais promovi treinamentos, em pacientes no meu consultório e em cursos sobre o sistêmico – prática que analisa e estuda as emoções do ser humano, tanto o que está no seu consciente como no seu inconsciente, ao olhar para o seu campo ou sistema familiar, fundamentando-se em conceitos da Psicologia, Sociologia, Psicanálise, Terapia Sistêmica Familiar e Estrutural – ministrados por mim. E há um caso especial que vale a pena ser detalhado.

Em consultório, atendi a uma pessoa que tentou suicídio aos vinte e um anos de idade. Na primeira sessão dessa pessoa comigo, quando lhe perguntei o nome de seu pai, a mãe do paciente, que o acompanhava na consulta, respondeu que ele não tinha pai. O pai o abandonara quando esse paciente ainda era pequeno e, no passado recente, anteriormente a essa sessão, havia falecido. A mãe disse que sempre aconselhava o filho a ir se encontrar com o pai, mas que ele nunca quis. Foi quando o pai morreu que esse filho tentou tirar a própria vida. Durante a sessão, o filho virou para a mãe e, muito emocionado, disse: "Eu não queria magoar você", pois pensava que, ao ir ver o pai, estaria magoando a sua mãe.

Como se pode ver, o fato de esse filho não reconhecer o lugar de seu pai e não se permitir tomar esse pai da maneira que ele era lhe trouxe dores e consequências profundas, que o impediam de avançar na vida. Ao realizar o exercício explicado anteriormente neste capítulo, ele compreendeu que sua própria cura passava pelo que o pai dele havia vivenciado e que, agora, como filho, ele poderia fazer diferente. Assim, esse exercício trouxe para esse paciente a possibilidade de ele falar o que sentia para seu pai e, consequentemente, se conectar com a força desse antepassado. Ao final da sessão, ele conseguiu tomar o pai da forma como ele era, agradeceu por sua própria vida e foi capaz de resgatar seu êxito, sua direção e sua força vital.

O que torna esse exercício tão eficiente é que ele permite que você drible o fator crítico de sua mente e, assim, tenha um olhar sistêmico sobre sua realidade. Desse modo, você consegue trazer para seu consciente qual a sua real dificuldade, bem como onde o problema está localizado em seu sistema, além de identificar os possíveis emaranhados que tenham dado origem a tal problema. Portanto, será capaz de refletir se está assumindo algum lugar que não seja o seu, se está imbuído da força de seu pai e/ou de sua mãe, se está rejeitando a força de ambos. Enfim, será capaz de avaliar se você está no local correto, de uma forma geral em sua vida, como ocorreu com o paciente cujo caso foi descrito acima.

Da mesma maneira que ele, se você reconhecer sua própria história com amor e respeito, aceitar seus pais como eles são, tomar somente seu lugar de filho e, assim, resgatar sua força de vida, você alcançará o equilíbrio e se sentirá pertencente ao seu sistema familiar. Deixará, com os seus pais, aquilo que é deles e, sendo apenas filho, poderá levar com você o que for só seu. Você será capaz de reconhecer e sentir que seus pais fizeram o melhor que poderiam ter feito, que tudo que eles fizeram foi por amor, que eles não podiam fazer diferente – porque eles te deram apenas e tão somente aquilo que receberam, aquilo que tinham. Você se conectará a sua força masculina e a sua força feminina, dadas a você por seu pai e por sua mãe, respectivamente. Poderá, então, se permitir fazer parte de outros sistemas, percebendo êxito, direção, abundância e prosperidade nos projetos que executar.

Você estará pronto para construir sua história e seu futuro. Verá que é perfeito em suas imperfeições, porque é composto pelas metades de seu pai e de sua mãe, e foram eles que lhe deram o bem mais precioso que você poderia receber: o milagre da vida.

Assim, esse exercício, não só proporciona autoconhecimento e melhora da autoestima, mas leva as pessoas a reflexões essenciais sobre o próprio sistema, permitindo que ele resgate sua força de vida.

Peça permissão ao sistema. Sinta-se abençoado para ter sucesso e saúde física, mental, espiritual, financeira e amorosa.

Agora, você confia na vida e diz sim para ela.

APÓS CONHECER AS HISTÓRIAS – E SE RECONHECER NELAS –, VOCÊ PODERÁ OLHAR PARA ESSAS PESSOAS SEM JULGAMENTO, DEVOLVENDO A CADA UMA AQUILO QUE PERTENCE A ELA E LEVANDO CONSIGO SOMENTE O QUE REALMENTE FOR SEU.

Fabio Pereira

Autor do livro *Consciência Digital* (Caroli, 2019) e criador desse conceito. Futurista e especialista em comportamento digital e infobesidade, com mais de vinte anos de experiência. Já palestrou na China, nos Estados Unidos, na Alemanha, na Dinamarca, na Austrália e até no renomado TEDx. Depois de morar oito anos em Sydney, onde adquiriu a cidadania australiana, voltou ao Brasil com o objetivo de expandir o seu impacto positivo.

Instagram: @fabiopereirame
Site: https://fabiopereira.me/editoragente/
Twitter: @fabiopereirame
Facebook: Fabio Pereira

Moaby Paixão

Infobesidade e dieta de informação

Toda tecnologia é uma criação humana que deveria ter por objetivo ajudar. Hoje, contudo, o vício em tecnologia, o pânico de não conseguir viver sem o celular (nomofobia), a falta de equilíbrio entre o *on-line* e o *off-line*, o estresse e a ansiedade gerados por esse tipo de comportamento, a sobrecarga de informação (infobesidade) e vários outros sintomas comportamentais e sociais ainda mal compreendidos têm impactos significativos na qualidade de vida e no bem-estar de milhões de pessoas.

Estamos cada vez mais sobrecarregados de tarefas, de *e-mails* para ler, de mensagens no *chat* para responder, de reuniões para participar, de modo que precisamos trabalhar mais horas todos os dias. Muitas vezes, isso resulta na Síndrome de Burnout, que, de acordo com informações divulgadas pelo Ministério da Saúde, consiste na exaustão que faz com que a bateria do nosso cérebro se esgote, tendo como principal causa justamente o excesso. E isso acontece porque deixamos a tecnologia e a infobesidade dominarem todo nosso tempo e atenção, não sobrando espaço para o que realmente importa.

Nós, usuários de *smartphones* e de telas, conhecidos como cidadãos digitais, quase nunca usamos toda a inovação tecnológica digital disponível para nos ajudar a sermos mais produtivos e conseguirmos realizar nossos sonhos. Ao contrário, nos deixamos ser conduzidos pelas ondas da *web*. Afinal de contas, em um mundo digital com uma imensa quantidade de informação disponível, como saber o que devemos consumir? Uma simples busca no Google por "lugares para comer" traz cerca de 650 milhões de resultados, e, segundo estudo conduzido pela empresa Chitika, em junho de 2013, nove a cada dez pessoas clicam em um resultado da primeira página. Quem, então, tomou essa decisão? Você ou o Google?

Tendo essa questão em mente, é provável que, neste exato momento, você esteja sentindo o peso e a responsabilidade de tantas coisas acontecendo ao mesmo tempo. No fim do dia, é possível que se sinta mentalmente cansado, estressado, ansioso e não consiga dormir bem, pois não fez o que queria ter feito e só consegue pensar em tudo que deixou para amanhã. Você se sente pressionado a ler tudo, a escutar tudo e a ver tudo por medo de perder alguma informação importante.

Por outro lado, embora você não consiga ler todos os *e-mails* de trabalho e se estresse com a demanda digital que recebe, acaba maratonando três temporadas da sua série preferida em alguma plataforma de *streaming*. Será que o problema é a falta de tempo ou a falta de prioridade?

Proponho que faça um teste. Se você se identificar com pelo menos uma das frases a seguir, então esse capítulo é para você.

1. Passo mais tempo no celular e nas redes sociais do que gostaria.
2. Fico no celular quando deveria ir dormir.

Infobesidade e dieta de informação

3. Sinto uma sobrecarga pela quantidade de *e-mails* não lidos.
4. Meu celular me distrai quando estou com meus amigos ou minha família.

Um dos principais motivos de não conseguirmos nos libertar dessa situação é nos permitirmos ser influenciados o tempo todo pelo que o mundo digital diz que devemos consumir. Exemplos disso são as *timelines* das redes sociais, as sugestões de vídeos nos *streamings*, a ordem cronológica das mensagens que chegam por *e-mail*, *chat* e plataformas de comunicação, os resultados das buscas... É como entrar em um carro, ligar o GPS e deixar que ele nos diga para onde devemos ir.

Outro motivo que leva à infobesidade é a falta de conhecimento de como o mundo digital funciona por trás das telas. Ao não sabermos usar as ferramentas a nosso favor, terminamos por empregá-las em benefício das empresas que as criaram. Muitas empresas se utilizam de estratégias para fazer com que o usuário clique, curta e compre. Uma delas é chamada de "escassez", ela consiste, por exemplo, em dizer que um quarto de hotel é o "último disponível", ativando um gatilho no cérebro chamado "aversão à perda", para que você agende mais rápido o quarto porque ficou com medo de perdê-lo.

Fazendo um comparativo simples, não controlar nossa vida digital é como chegar em um restaurante com sistema de rodízio e comer tudo que aparecer na frente até, finalmente, nos darmos conta de que comemos uma porção de coisas que, na verdade, não queríamos comer.

Mas a sensação de ter o poder de determinar para onde queremos ir, quais informações são mais importantes para nós, em que ordem vamos consumi-las, é incrível. No mundo da infobesidade, chamo isso de "fazer uma dieta de informação". Essa dieta nos permite ter uma vida na qual fazemos tudo que precisamos e ainda sobra tempo para dedicarmos a nós mesmos e às pessoas que amamos, sem Síndrome de Burnout, sem estresse e sem ansiedade. Basta priorizarmos o que realmente importa e termos autocontrole. Desse modo, somos capazes de desenvolver uma **vida digital com consciência**.

Em *Sapiens: Uma breve história da humanidade* (L&PM, 2015), Yuval Noah Harari afirma que, há setenta mil anos, a humanidade viveu uma revolução cognitiva que nos possibilitou transmitir informações e conceitos abstratos. Isso mesmo, setenta mil anos atrás! Nos últimos sete anos, vivenciamos o crescimento exponencial de tecnologias, como a inteligência artificial, a realidade virtual e aumentada, o metaverso, a biotecnologia e a robótica. A isso, somam-se os anos da pandemia de Covid-19, que trouxeram os desafios do trabalho remoto, do *home office* e a da reinvenção da forma como interagimos. A sociedade atual passa pela maior transformação que qualquer geração já vivenciou.

De fato, os avanços tecnológicos afetam a nós todos, direta ou indiretamente, transformando vidas, carreiras, negócios, educação, governos, bem como o próprio sentido de humanidade e o propósito de viver. Assim, ter consciência sobre nossa vida digital é essencial para a nossa sobrevivência, para termos tempo e foco para fazer tudo que queremos e o que precisa ser feito. Priorizar o que realmente importa nos dá uma sensação extraordinária!

Da mesma forma que em um rodízio não conseguimos comer tudo que está disponível, já que priorizamos o que vamos consumir, também precisamos priorizar toda a informação que vamos absorver no mundo digital. Devemos, então, elaborar um cardápio com a ajuda de profissionais que conhecem e estudam essa questão.

É aí que entra uma combinação de três métodos – Consciência Digital, Jornada da Infobesidade e Nutrinfo (nutricionista da informação) – que oferecem cinco passos para se iniciar a dieta de informação. Essas ferramentas são o resultado de décadas de pesquisas aplicadas e, por trás delas, há uma base científica da Economia e Ciência Comportamental, da Neurociência e do Neurobusiness. Os cinco passos são:

1» ACEITE

Aceite que somos apenas humanos e que somos irracionais e inconscientes a respeito de muito do que acontece em nossas vidas. Isso nos torna passíveis de sermos manipulados pela tecnologia. Nosso cérebro tem limitações cognitivas; não há espaço para tudo na nossa cabeça.

2» SUBA NA BALANÇA DIGITAL

Observe como você se comporta no mundo digital. Esteja atento ao que consome, lê, assiste, ouve. Note quais aplicativos usa mais e menos. Qual é o seu peso digital? Para descobrir, utilize aplicativos que mostram seu tempo de tela e descubra em quais você mais gasta seu tempo.

3» PROCURE UM ESPECIALISTA E INICIE SUA DIETA DE INFORMAÇÃO

Assim como buscamos um nutricionista ou um endocrinologista para nos ajudar com nossa dieta alimentar, a fim de ganharmos músculos, perder peso ou ter mais saúde, para realizarmos a dieta de informação é preciso ter orientação profissional. Busque um especialista da área, um nutrinfo (nutricionista da informação) ou uma mentoria. Com as orientações recebidas, experimente fazer pequenas mudanças que irão se transformar em novos hábitos.

4» DISCUTA O PROBLEMA

Junte-se a uma das comunidades de pessoas que buscam os mesmos objetivos que você e que estão passando pelos mesmos desafios. Leve esse assunto para ser discutido em família, entre amigos e com pessoas em quem confia.

5» VOLTE PARA O PASSO 2 E REPITA OS DEMAIS

Lembre-se de que nenhuma mudança ocorre do dia para a noite e que esse método é cíclico. Então, ao chegar a este passo, vale a pena subir na balança digital mais uma vez e ver onde você está. A jornada é longa e exige muita dedicação. Desse modo, se precisar refazer o ciclo várias vezes, tenha em mente que isso é normal e que faz parte do processo de expansão da consciência e ganho de uma vida melhor.

O desenvolvimento e a aplicação desses cinco passos marcaram uma mudança fundamental em minha vida. Em 2017, fiz um retiro espiritual com Eckhart Tolle, autor do livro *O poder do agora* (Sextante, 2004). Eu estava passando por um momento difícil na minha vida e perguntei a Eckhart como poderíamos usar a tecnologia para expandir a consciência da humanidade e nos tornamos mais presentes no agora, em vez de imersos em telas e distrações. Essa pergunta resultou em uma conversa de dezesseis minutos que mudou minha vida e que já foi assistida por mais de 94 mil pessoas no canal *Consciousness & Technology*, no YouTube.

Tenho uma carreira de mais de vinte anos na área de tecnologia e já passei por empresas globais que criam o mundo digital no qual vivemos. Logo, conheço bem o que acontece por trás dos celulares e das telas. Mesmo assim, eu era uma pessoa que sofria de infobesidade, cansaço mental, não sabia dizer "não" para o que me era solicitado e não priorizava minhas atividades.

Contudo, além de tecnologista, também sempre fui focado em entender o comportamento humano pela perspectiva da ciência comportamental. Por conta desses interesses, comecei a aplicar conceitos da ciência do comportamento humano à minha vida no mundo digital, e isso me trouxe menos cansaço mental, mais equilíbrio entre a vida conectada e a desconectada, mais foco e concentração no que realmente importa. Então, comecei a transformar isso em um método e a aplicá-lo em pessoas que tinham os mesmos desafios que eu. O resultado vem sendo transformador, e espero que cada vez mais pessoas tenham essa experiência que eu e muitos já tivemos: uma vida digital consciente.

O sucesso do método acabou me levando a desenvolver o sonho de ser bilionário. Mas não em termos financeiros. Meu propósito é causar impacto na vida de, pelo menos, um bilhão de pessoas. Esse desejo não nasceu do nada e, para contextualizar, vou contar um pouco da minha história.

Minha paixão por tecnologia nasceu em Pombal, uma pequena cidade do interior da Paraíba onde eu cresci e onde meu padrasto tinha uma farmácia – a "Farmácia dos Pobres". Eu era criança quando ele decidiu informatizar o estabelecimento e instalar computadores. Naquele momento, eu soube que queria algo relacionado à tecnologia para o meu futuro e que iria usar essa tecnologia para ajudar pessoas e negócios.

Naquela época, eu e minha família estávamos passando por uma fase difícil e não tínhamos condições financeiras para custear meus estudos em uma universidade particular. Minha mãe sempre dizia: ou você passa na Federal ou não vai ter um diploma. Era o jeito que ela encontrou para me incentivar a passar em uma universidade pública. Assim, mergulhei nos estudos e consegui! Entrei na universidade para cursar Computação. Nos primeiros meses, eu precisava ficar até tarde no laboratório da faculdade, pois não tinha computador em casa. Certo dia, recebi um telefonema da minha tia Necy, que sempre foi uma inspiração para muita gente na família, dizendo que iria me dar um computador de presente. Isso mudou a minha vida.

De lá para cá, já se passaram mais de vinte anos, e eu sempre usei a tecnologia e a Consciência Digital com o objetivo de ajudar os outros. Sigo o que creio ser minha missão: todos precisamos ter consciência e autocontrole sobre o poder que o mundo digital exerce em nossas vidas. Neurociência e tecnologias inovadoras devem trazer bem-estar ao invés de manipular e aumentar o estresse e a ansiedade. Por isso, devemos entender o que realmente importa em nossas vidas e ter equilíbrio entre o *on-line* e o *off-line*.

> **Essa dieta nos permite ter uma vida na qual fazemos tudo que precisamos e ainda sobra tempo para dedicarmos a nós mesmos e às pessoas que amamos, sem Síndrome de Burnout, sem estresse e sem ansiedade. Basta priorizar o que realmente importa e ter autocontrole. Desse modo, somos capazes de desenvolver uma vida digital com consciência.**

Dr. Fábio Trevisan

Médico especialista em Medicina Avançada da Dor e Medicina do Estilo de Vida pelo Hospital Sírio-Libanês (São Paulo/SP) e pela Harvard Medical School (Boston, Estados Unidos), além de fundador e responsável pelo Instituto Trevisan – clínica especializada no diagnóstico e tratamento da dor e centro de qualificação profissional em dor.

Instagram: @institutotrevisan
@drfabiotrevisan
Sites: www.institutotrevisan.com.br
www.drfabiotrevisan.com.br

Kadu Nakaguishi

O MAPA DA VIDA SEM DOR: O CAMINHO PARA SE LIBERTAR DA DOR E CONQUISTAR UMA NOVA VIDA

A dor, segundo a atualização feita pela Associação Internacional para o Estudo da Dor (IASP), em 2020, é definida como uma "experiência sensitiva e emocional desagradável associada, ou semelhante àquela associada, a uma lesão tecidual real ou potencial". Com base na complexidade dessa definição, é possível imaginar o quão difícil e desafiador pode ser o diagnóstico e o tratamento dos mais variados tipos de dor, nos mais variados tipos de pessoas.

Isso se torna ainda mais complexo e desafiador quando a dor deixa de ser uma situação aguda, ou seja, apenas um sintoma temporário de alerta do organismo, com um prazo de tempo esperado para a sua resolução completa, e se transforma em uma situação crônica sem tempo previsto para seu término. É quando a dor deixa de ser um mero sintoma para se transformar na própria doença, enfermidade que consta na última atualização da Classificação Internacional de Doenças (CID11/2019), definida como uma dor contínua que persiste por um período superior a seis meses, ou aquela dor que se estende por um tempo muito além do esperado para a sua cura.

A Organização Mundial da Saúde (OMS) estima que, aproximadamente, 30% da população mundial sofre diariamente com algum tipo de dor crônica, sendo mais de 70 milhões de pessoas somente no Brasil. Esse grande número de enfermos tem a sua vida impactada negativamente nas mais diversas esferas (pessoal, familiar e profissional), com severos prejuízos físicos, emocionais, comportamentais e financeiros. Em muitos casos, a dor crônica pode deixar sequelas profundas, que irão perdurar por toda a vida, comprometendo não somente a própria pessoa, mas, também, sua família e, ainda, o sistema de saúde e a economia de um país.

Sentir dor é algo muito ruim em qualquer situação. No entanto, conviver com a dor, muitas vezes sem trégua e sem aparente fim, é algo literalmente insuportável. A dor crônica é capaz de transformar qualquer simples atividade do cotidiano em um terrível pesadelo e vai, aos poucos, comprometendo seriamente a autonomia da pessoa, que, dia após dia, se percebe mais dependente física e emocionalmente de terceiros, até mesmo para realizar as atividades mais corriqueiras.

A perda da autonomia e a limitação crescente trazem em seu rastro consequências ainda piores. São alterações do sono e da alimentação, sedentarismo secundário ao medo de se movimentar e o consequente ganho de peso, aumento do estresse, isolamento, tristeza e desesperança persistentes que, em muitos casos, se tornam gatilhos da depressão e, em situações extremas, de um eventual suicídio.

É muito comum identificar nos relatos de pessoas que padecem de dor crônica descontrolada o sentimento de estarem escravizadas. Afirmam que já não têm mais nenhuma lembrança do que é viver com o mínimo de qualidade de vida, que já não conseguem dormir bem, alimentar-se direito, movimentar-se livremente. Dizem estar constantemente irritadas, estressadas, sem vontade de sair de casa para nada e sem ânimo para praticar atividades das quais tanto gostavam. O mais triste em tais testemunhos é que a maioria dos pacientes já não enxerga mais sentido em continuar vivendo assim.

Não raro, a dor crônica produz sequelas físicas e emocionais irreparáveis. Muitos portadores se sentem órfãos de atenção, de diagnósticos e de tratamentos adequados. Ficam totalmente perdidos, sem saber qual direção seguir, procurando desesperadamente por algum tipo de ajuda, peregrinando de profissional em profissional, sem encontrar uma solução efetiva e duradoura para a sua dor. Com frequência, acabam presos em um círculo vicioso de desesperança que precisa, urgentemente, ser interrompido. Só então serão capazes de encontrar o caminho para uma nova vida sem dor.

Infelizmente, ainda hoje, apesar de todos os novos avanços da Medicina, a dor crônica continua sendo uma doença muito negligenciada, excessivamente desvalorizada e bastante malconduzida. Outro fator a agravar o quadro é que a maioria das pessoas que sofre desse mal ainda não tem acesso a profissionais qualificados e às inúmeras opções de tratamento disponíveis. Essa maneira inadequada de abordagem da dor crônica impacta negativamente não só a vida dos pacientes, mas, também, na vida de todos os que os cercam e que estão envolvidos pelo seu quadro – tanto no âmbito pessoal quanto no profissional.

A boa notícia é que há possibilidade de superar esse problema. Viver sem dor é perfeitamente possível, por meio do método "O mapa da vida sem dor", um plano de ação criado por mim especialmente para quem sofre diariamente com a dor crônica. Antes de aplicá-lo, é preciso, porém, que você se submeta a um verdadeiro choque de realidade, confrontando a sua real situação atual com relação aos seus hábitos saudáveis de vida. Em seguida, percorrerá os sete passos da Medicina do Estilo de Vida, focados no tratamento da dor crônica. Essa sequência de ações conduzirá você através de uma jornada transformadora rumo a uma nova vida sem dor.

É preciso, contudo, enfatizar e deixar muito claro que qualquer tratamento médico disponível para a dor crônica, por mais moderno e comprovado que seja, só será realmente efetivo e duradouro se precedido pelas mudanças no estilo de vida propostas pelo método. Afinal, a decisão de assumir o comando da sua própria vida e de realizar todas as mudanças necessárias e indispensáveis no seu cotidiano é o ponto de partida para uma jornada transformadora que irá ajudá-lo a se libertar definitivamente da dor crônica e a conquistar uma nova vida. Vamos ao método.

O mapa da vida sem dor

Antes de mais nada, é preciso assumir o poder de construir o futuro que você tanto deseja. Isso depende, principalmente, da sua decisão de retomar o comando e de voltar a ser o protagonista da sua própria vida. Toda essa transformação se inicia pelo reconhecimento de que sua vida atual, escravizada pela dor crônica, precisa urgentemente mudar e pela decisão de começar, de uma vez por todas, a sua jornada rumo a uma nova vida sem dor. Não se preocupe, pois você não estará sozinho ao longo desse processo. Todos os seus passos serão guiados, com motivação e perseverança, pelo método "O mapa da vida sem dor".

Após confrontar todos os hábitos insalubres que fazem parte de seu estilo de vida, você deverá aplicar os sete passos da Medicina do Estilo de Vida, focados no tratamento da dor crônica:

1. Adotar uma alimentação saudável com efeito anti-inflamatório.
2. Movimentar-se, praticar atividades físicas e exercícios regularmente.
3. Adquirir hábitos que privilegiam a saúde mental e controlam o estresse.
4. Cuidar da saúde do sono com medidas que melhorem a sua qualidade.
5. Eliminar o consumo de tóxicos (tabaco, álcool, drogas ilícitas e medicamentos).
6. Valorizar os relacionamentos pessoais e melhorar o convívio social.
7. Aprimorar a espiritualidade e praticar a fé.

Juntos, esses passos irão mostrar o caminho para a eliminação da dor crônica, resultando em:

Redução e controle da sua dor.
Preservação da sua autonomia.
Recuperação do seu bem-estar físico, mental e social.
Melhoria da sua qualidade de vida.
Extensão da sua longevidade.

Esses sete passos estão intimamente relacionados ao tratamento efetivo e duradouro da dor crônica, em perfeito sinergismo entre si, com maior ou menor grau de impacto de um ou de outro conforme as circunstâncias individuais. As inúmeras abordagens terapêuticas disponíveis para cada um desses passos irão refletir diretamente no tratamento da dor crônica, de maneira somatória e progressiva.

Em outras palavras, o efeito prático na redução e no controle da sua dor dependerá da sua motivação inicial e da sua perseverança contínua, que serão constantemente estimuladas ao longo da jornada transformadora proposta pelo método. Os resultados serão permanentemente sentidos ao longo do tempo, à medida que cada uma das mudanças no seu estilo de vida seja iniciada e mantida. Desse modo, você sairá do antigo círculo vicioso de desesperança e dor crônica, substituindo-o por um novo círculo – o círculo virtuoso de esperança da vida sem dor.

Em minha vivência clínica, tenho comprovado a eficácia desse método. Sou médico especialista em Medicina Avançada da Dor e, há pelo menos vinte anos, tenho me dedicado ao tratamento dos mais variados tipos de dor crônica. Ao longo de todos esses anos de atuação, tenho testemunhado a impressionante evolução dos tratamentos, com o surgimento de inúmeras medicações e equipamentos desenvolvidos para o tratamento de praticamente qualquer tipo de dor. Todos os dias aparecem mais e mais alternativas que se somam ao já bem extenso arsenal de abordagens.

Então, qual é a explicação para, apesar de tantas alternativas de tratamentos, ainda existirem tantas pessoas sofrendo diariamente com a dor crônica?

A resposta para essa pergunta é bem simples: não existe milagre ou mágica no tratamento da dor crônica e, tampouco, ela irá desaparecer definitivamente apenas com os tratamentos disponíveis. Para que isso aconteça, é necessário algo bem mais profundo: uma verdadeira mudança no estilo de vida, muitas vezes bastante radical. Essa transformação servirá de alicerce no qual os tratamentos médicos irão se apoiar, complementando o processo e atingindo o resultado esperado: uma nova vida sem dor.

Há poucos anos, durante um curso de Medicina da Dor na Harvard Medical School, em Boston, Estados Unidos, conheci a recém-criada Medicina do Estilo de Vida. Ao retornar ao Brasil, procurei conceber um método de tratamento da dor crônica, inovador e pioneiro, associando todos os conceitos transformadores da Medicina do Estilo de Vida com os mais modernos tratamentos médicos existentes na Medicina Avançada da Dor. A partir de então, passei a vivenciar uma nova e impressionante realidade na minha clínica, testemunhando inúmeros casos de pacientes se libertando da dor crônica de maneira efetiva e duradoura e conquistando verdadeiramente uma nova vida, ao utilizar "O mapa da vida sem dor".

Eu tenho certeza de que a verdadeira felicidade para você, que ainda sofre com a dor crônica, é conseguir viver todos os seus dias, de hoje em diante, realizando tudo o que deseja sem sentir nenhuma dor, não é? Eu garanto a você que sentir dor todos os dias não é normal, e saiba que você merece, sim, viver sem dor. Mais ainda, afirmo que viver sem dor é algo perfeitamente possível e que isso só depende da sua decisão.

Entretanto, enfatizo, com toda a minha experiência médica ao longo de mais de vinte anos, que será improvável que você se liberte definitivamente da dor crônica sem que, antes, decida assumir o comando da sua própria vida, sem esperar que o mundo faça por você o que somente você mesmo pode fazer.

Então, reconheça que a sua vida escravizada pela dor crônica precisa mudar e decida, de uma vez por todas, viver uma vida plena de bem-estar físico, mental e social, com muito mais autonomia, longevidade e, principalmente, qualidade de vida.

Chega se sentir dor! Sentir dor não é normal, e conquistar uma nova vida sem dor é perfeitamente possível.

Você merece isso, e isso só depende de você!

A DECISÃO DE ASSUMIR O COMANDO DA PRÓPRIA VIDA E REALIZAR TODAS AS MUDANÇAS NECESSÁRIAS E INDISPENSÁVEIS NO SEU ESTILO DE VIDA É O PONTO DE PARTIDA PARA UMA JORNADA TRANSFORMADORA QUE IRÁ AJUDÁ-LO A SE LIBERTAR DEFINITIVAMENTE DA DOR CRÔNICA E A CONQUISTAR UMA NOVA VIDA.

HipNeto

Hipnoterapeuta, palestrante, empresário, músico, escritor, criador de conteúdo digital e criador das técnicas HypnoMusic e HipnoSusto.
Instagram: @HipNeto
Site: www.hipneto.com.br

Julia Bernardi

Hipnoterapia: uma solução para seus problemas

O grande problema do ser humano é não tomar consciência da verdadeira causa das atribulações que aparecem em seu caminho. Nossos reveses são consequências de comportamentos adotados inconscientemente, que nos levam a repetir padrões negativos.

Essa repetição, muitas vezes, é feita por pessoas que sentem que problemas do passado não as deixam em paz, e é comum que elas desenvolvam ansiedade, depressão, bloqueios emocionais, emoções negativas no geral, sentimento de culpa, sensação de abandono, impotência, desvalorização, medo de julgamento, insônia, compulsão alimentar, vícios em cigarro e álcool, sintomas físicos, como dores, ou mesmo doenças. E, em nosso país, isso está cada vez mais presente. Segundo dados publicados no Journal of Psychiatric Research, em 2020, 81,9% dos brasileiros entrevistados endossaram sintomas de ansiedade; 68% sintomas de depressão; 64,5% raiva, 62,6% sintomas físicos (somáticos) associados aos transtornos emocionais e 55,3% problemas de sono.

Algo que acontece com muita frequência, também, é se sentir travado, preso ao passado – seja ele bom ou ruim –, ou a um futuro desejado, mas que fica apenas no imaginário. A pessoa tem muitas ideias, mas nenhuma delas é colocada em prática.

Há também aqueles que percebem, ainda que em nível consciente, um benefício maior em permanecer no problema ao invés de resolvê-lo, e há quem não esteja disposto a fazer os sacrifícios necessários para obter as mudanças desejadas. Outro motivo comum pelo qual muitos não fazem a virada em suas vidas é a falta de busca por ajuda de profissionais realmente adequados, que os auxiliem a ficarem conscientes da real causa de seus problemas. Afinal de contas, é realmente muito difícil conseguir enxergar, sozinho, os pontos cegos em nossa caminhada – isto é, as causas subconscientes de nossas dificuldades.

Fico indignado ao ver pessoas que, apesar de julgarem tentar de tudo para superar seus conflitos, lançam mão de artifícios que não as levam a encontrar o verdadeiro motivo de suas aflições: fazem cursos, consultam profissionais que prometem cura, usam substâncias "milagrosas" e remédios, dentre tantos outros recursos. Mas fico ainda mais incomodado ao ver pessoas lutando a batalha errada. No fim, esses indivíduos acabam se vendo presos em um círculo vicioso, com uma sensação de estar patinando sem sair do lugar.

Considerando tudo isso, o verdadeiro desafio é conseguirmos nos conscientizar do que realmente acontece dentro de cada um de nós e identificarmos o grande causador das consequências prejudiciais que enfrentamos, o motivo real que está nos relegando a essas situações desfavoráveis. Nesse sentido, é importante destacar também que não há solução sem o controle real da vida, do peso corporal, dos relacionamentos, da liberdade financeira e da saúde mental.

Ainda que entrar em contato com novas informações, como você está fazendo agora, seja um ótimo caminho para jogar luz em seus pontos cegos, apenas saber a causa do incêndio não apaga o fogo. Além disso, há, comumente, uma busca incessante por culpados, sem que nada de definitivo seja feito para resolver o que está realmente causando tantos desvios no percurso. Há, ainda, a possibilidade de que você tenha, sim, encontrado o porquê de experienciar tantos sentimentos negativos e de obter resultados indesejados, mas não tenha feito nada para tirar do papel o grande plano de mudança.

Se você está lendo este texto agora, provavelmente significa que está em constante busca de autoconhecimento, ou que quer resolver algo que o incomoda há muito tempo; ou, então, que almeja chegar àquele resultado que sempre desejou, mas nunca alcançou.

Transformar sonho em realidade é usar sua emoção para tomar atitude e vencer o desafio que você deseja. A verdadeira solução depende da sabedoria emocional e do autoconhecimento profundo da mente e do cérebro – mas, acima de tudo, da ação. É preciso conseguir manejar as emoções que estão dentro de nós, a fim de superarmos as dificuldades, utilizando tais emoções para amplificarmos ações que nos levarão a percorrer o caminho que realmente almejamos.

Para fazer uma reta, um novo caminho, uma via nova, é preciso saber onde está o ponto "A" – onde você está hoje – e o ponto "B", o lugar no qual você quer chegar. Essa é a real solução para encontrar e resolver a origem do problema que se deseja superar: o importante é o que importa. Gastar tempo, energia e dinheiro em coisas menores, que não têm relevância de verdade, não levará você a lugar nenhum. Busque, antes de tudo, entender qual o problema a ser solucionado – ou seja, encontre a causa dele –, e, principalmente, faça o que for preciso para resolvê-lo. Parece muito óbvio – e, de fato, é –, mas é preciso verbalizar o óbvio sempre que possível.

O caminho que eu tracei foi por meio da hipnose, ou melhor, da hipnoterapia. A hipnose está mais presente em nossas vidas do que você imagina. Se você já chorou ou se alegrou vendo algum filme, isso se deu por meio da hipnose. Se você já sentiu um pico de emoção e, durante essa situação, fez ou falou algo de que se arrependeu depois, você também já esteve nesse estado de hipnose. Claro que existem diferentes níveis e estados hipnóticos, mas eles são uma capacidade natural do ser humano, e todos nós o exercemos, mesmo sem saber. Isso ocorre porque nossas emoções comandam todo esse mecanismo – só que você não decide, de maneira consciente, quais emoções quer sentir: elas simplesmente vêm, sem que você as possa escolher.

Mas o que é a hipnoterapia, afinal? Ela consiste, basicamente, em usar ferramentas de hipnose e o transe hipnótico com um propósito terapêutico. É uma técnica que leva você do ponto "A" até o ponto "B", sendo o "B" necessariamente melhor que o "A". Pode parecer que não, mas a hipnoterapia é realmente muito poderosa: ela atua no mecanismo de nossos cérebros no qual se dá a origem de nossos problemas e, por isso, pode ser o caminho para a conquista dos nossos sonhos.

Através da hipnoterapia, podemos encontrar e resolver a verdadeira causa subconsciente do problema, a verdadeira emoção base que está por trás do sintoma. Mas, além disso, podemos usar esse estado hipnótico para alterar a interpretação que gerou toda consequência negativa. Com a hipnose, abriremos o caminho para o cérebro criar uma nova realidade e, assim, alterar o padrão subconsciente, de maneira breve e com alto impacto, já que atua direto na raiz do problema. Isto é, usar ferramentas de hipnose com um propósito terapêutico. Então, quer aprender uma primeira ferramenta simples de hipnose?

Entrelace os dedos das duas mãos, deixando apenas o dedo indicador de cada mão levantado. Separe os dedos indicadores, deixando-os bem distantes um do outro. Agora, quero que imagine que cada dedo é um polo magnético, que atrai o outro fortemente, de maneira inevitável. Ao imaginar isso, você perceberá que seus indicadores irão se aproximar um do outro. Continue imaginando que cada um é um polo magnético e verá que eles ficam ainda mais próximos. Prossiga em sua imaginação, até que os indicadores, de fato, se toquem. Muito bom! Veja que, apenas por meio de sua imaginação, você foi capaz de produzir uma realidade palpável. Se você não conseguiu, basta se concentrar e tentar de novo; siga as sugestões e verá que dará certo.

Esses passos, apesar de simples, já configuram uma dinâmica de hipnose. Imagine, então, se você utilizar o potencial da hipnose de uma maneira ainda mais aprofundada, aprendendo as mais diversas técnicas e ferramentas, utilizando-as em seu benefício – é isso que engloba uma sessão de hipnoterapia, um incrível mecanismo de transformação, por meio do qual você será capaz de resolver o que for necessário em sua vida. Se você decidir buscar a hipnoterapia, terá uma prova incontestável de sua capacidade de ação e de resolução – porque a solução, por mais desafiadora que pareça, está dentro de você.

Outra alternativa é aliar tudo isso ao potencial de neuroplasticidade da música, ou seja, usar a capacidade da música em estimular emoções e trazer novos padrões cerebrais. Para tanto, convido você a descobrir o poder da hipnoterapia aliada à música, por meio do meu projeto: Hypnomusic, disponível gratuitamente em todos os serviços de *streaming* de áudio.

Agora, se você deseja um alívio rápido e eficaz, convido você a conhecer meu outro projeto: o HipnoSusto, que propõe, por meio do susto, a colocação de uma sugestão direta no seu subconsciente, sendo possível aliviar sintomas de ansiedade, dores, entre outros.

MINHA EXPERIÊNCIA PESSOAL COM A HIPNOTERAPIA

A hipnoterapia transformou minha vida. Há pouco tempo, eu vivia um círculo vicioso de ansiedade, que me levava a compensar os sentimentos negativos com comida e com uso abusivo de álcool. Esse cenário era composto também pelo fato de que eu estava em uma posição profissional na qual me sentia impotente e não obtinha o resultado financeiro que eu desejava. Sentia-me preso e frustrado, sabendo que meu potencial era muito maior em comparação àquilo que eu exercia diariamente. Além disso, acabei desenvolvendo um problema de pele. Um cisto foi identificado e sua origem, diagnosticada pela dermatologista, era justamente a ansiedade e o estresse. A doença era de tal gravidade que seria necessário que eu passasse por uma cirurgia.

Decidi, nesse contexto, passar por uma sessão de hipnoterapia, na qual trabalhei a doença. O cisto simplesmente sumiu, e meu problema de saúde foi resolvido. Percebi, assim, o incrível potencial dessa ferramenta e decidi buscar minha própria formação na área. Comecei a realizar auto-hipnose e consegui outros resultados excelentes: saí de quase 30% de gordura corporal para apenas 10%, um nível que nunca achei que fosse possível eu alcançar. Por meio da hipnoterapia, criei hábitos saudáveis e fui à procura de outros especialistas, na área da nutrição e educação física, que me orientaram com relação às estratégias mais adequadas para o que eu queria. Desse modo, ficou cada vez mais fácil colocar minha saúde física e mental em primeiro lugar. E o melhor: sem sofrimento, com comportamentos congruentes, que me trouxeram mais amor próprio e mais felicidade.

Após minha primeira formação em hipnoterapia, comecei a atender pessoas, a dar palestras e a transmitir meus conhecimentos sobre essa técnica. Desde o início, tive *feedbacks* positivos de clientes que, sob a minha orientação, passaram por transformações impressionantemente positivas. Isso, por sua vez, me estimulou a explorar cada vez mais a poderosa ferramenta que é a hipnoterapia. Hoje, posso dizer que encontrei meu propósito e que tenho liberdade e qualidade de vida – tudo por meio da minha profissão como hipnoterapeuta.

Sua vida não tem preço. É o bem mais importante do mundo – e, como já dito, o importante é o que importa. Logo, invista em sua vida, assuma o comando dela e saia do automático. Independentemente da sua crença, a única realidade inevitável em nossa existência é a morte – e eu mesmo só me dei conta disso quando vi, em uma dinâmica de hipnoterapia, minha lápide com a seguinte frase escrita nela: "Aqui jaz um grande potencial". Naquele momento, percebi que, se eu não promovesse as mudanças necessárias, estaria caminhando para esse destino – todo aquele meu potencial, sonhado de maneira tão clara dentro da minha mente, estava indo comigo para debaixo da terra, sem ter sido realizado. Depois disso, finalmente acordei para a ação, para o aqui e o agora.

Então, acorde você também! Eu acredito que você está nesse mundo por um motivo. Portanto, se mova. A previsão do tempo é uma só: ele está passando. Para iniciar seu despertar, aconselho você a seguir três conselhos importantes: 1. Faça, torne concreto; na prática, a teoria é outra. 2. Faça, porque potencial não é resultado, e 3. Faça, sobretudo porque o sonho só se torna realidade quando você promove ações para realizá-lo.

TRANSFORMAR SONHO EM REALIDADE É USAR SUA EMOÇÃO PARA TOMAR ATITUDE E VENCER O DESAFIO QUE VOCÊ DESEJA. A VERDADEIRA SOLUÇÃO DEPENDE DA SABEDORIA EMOCIONAL E DO AUTOCONHECIMENTO PROFUNDO DA MENTE E DO CÉREBRO – MAS, ACIMA DE TUDO, DA AÇÃO.

Tamires Cruz

Médica, mãe, esposa, ex-depressiva, especialista em saúde mental. Criadora do método Saúde de Gigantes – metodologia para o controle da ansiedade e tratamento da depressão, sem uso de remédios –, que já libertou centenas de pessoas da depressão.
Instagram: @dratamirescruzoficial
Facebook: /dratamirescruz

Tatiana Soares

Depressão tem cura!

A depressão é uma doença psiquiátrica que afeta o aspecto emocional dos pacientes acometidos por ela. O processo para que uma pessoa se torne depressiva tem início e origem na infância – desde essa fase da vida, o paciente enfrenta traumas, dores, abalos emocionais e experiências negativas. Esse acúmulo de problemas leva o indivíduo a perder sua capacidade de resiliência, de readaptação e de ter pensamentos positivos. Tomado por uma tristeza crônica, ele se torna extremamente ansioso e pessimista, incapaz de sentir contentamento e prazer. Em casos extremos, apresenta pensamentos suicidas e pode até mesmo vir a tirar a própria vida.

A depressão é vista, sob horizontes majoritariamente socioculturais, econômicos e religiosos, como capricho, carência de fé, ausência de Deus, "falta do que fazer", frescura, dentre outras acepções – quando, na verdade, ela se dá por razões já amplas e longamente explicadas pela medicina. A acumulação dos mencionados traumas, dores, abalos emocionais e experiências negativas vivenciados desde a infância pelo paciente em depressão desencadeia um processo inflamatório do cérebro. Com isso, os mecanismos regulatórios cerebrais modificam o suprimento de sangue destinado ao sistema límbico, responsável pelo controle do nosso comportamento emocional, causando, nele, anormalidades estruturais e funcionais – e, naturalmente, impactando negativamente o controle das emoções por parte da pessoa acometida.

Devido à anormalidade estrutural e funcional do sistema límbico, o paciente perde a vontade de fazer suas atividades diárias, começa a procrastinar, sente muita preguiça e fadiga constantes, o que provoca a sensação de grande esforço até para executar tarefas básicas do dia a dia. Alterações no sono e no apetite ficam nítidas. Além de tudo, ele perde a preocupação com o autocuidado e sente a necessidade de se afastar das pessoas. O paciente fica com o raciocínio mais lento, tornando-se indeciso e esquecido, além de ter dificuldade de concentração. É vítima de seu passado, carregando sentimentos permanentes de culpa e de inutilidade, o que o leva à citada ideação suicida ("Neural structure and organization of mood pathology", de Disabato *et al.*, em *The Oxford Handbook of Mood Disorders*, Oxford University Press, 2016).

Como se não bastasse, esse desequilíbrio emocional pode chegar a se manifestar também fisicamente. Quando está preocupado com alguma situação, existe a possibilidade de o paciente depressivo apresentar sintomas semelhantes aos de um quadro de infarto: dor no peito, palpitação, falta de ar, sensação de nó na garganta, sudorese e pele fria. A tais condições, muitas vezes, associam-se cefaleia, náuseas, vômitos, dor abdominal e diarreia.

Resumindo: a sociedade contribui para estigmatizar, sem base científica, pessoas que já estão em sofrimento, decorrente de uma condição cerebral, comprovada cientificamente.

Depressão tem cura!

A gravidade da doença em si já é suficientemente preocupante, mas ainda há grande dificuldade de reverter o quadro dessa patologia, o que se explica de duas maneiras. A primeira é que, devido ao preconceito citado, nota-se que muitos indivíduos têm vergonha até de falar sobre a doença – e, obviamente, também de procurar ajuda, já que são vistos, por muitas pessoas, como preguiçosos, problemáticos, caprichosos. Assim, não reconhecem que têm depressão e preferem assumir que possuem outros diagnósticos. O segundo motivo está ligado aos próprios sintomas daquele paciente que, apesar de todo o preconceito, resolve procurar ajuda – com a mesma intensidade que sente ansiedade, tristeza, vazio, desilusão e pessimismo, ele resolve dar um basta na situação, buscando desesperadamente uma solução rápida e imediata para esses sentimentos. E, então, começa a fazer uso de antidepressivos e entra em um círculo vicioso de medicação, esquecendo-se do mais importante: tratar a origem dos sintomas, que é justamente o que o leva a adentrar tal círculo.

O antidepressivo, de fato, atua na tentativa de evitar o desequilíbrio funcional do sistema límbico e, por algum tempo, até mantém a função cerebral equilibrada e harmônica. O problema é que, tendo em vista que a depressão tem origem no acúmulo de traumas que o paciente carrega desde a infância – que, por sua vez, desencadeiam o processo inflamatório cerebral responsável pela doença – se não houver a resolução desses conflitos, a medicação, sozinha, não terá o efeito de curar a doença e acabará tendo apenas um efeito placebo. Isso gera dependência medicamentosa, com aumento de dose dos remédios já tomados ou a troca deles. Mas o problema permanece: a doença não é tratada.

O paciente estará se iludindo, acreditando que está cuidando da sua saúde mental, enquanto, na verdade, está acumulando efeitos colaterais de remédios. Essa situação acaba por colocá-lo na mencionada situação cíclica, que, além de não resolver os reais problemas, também não proporciona a cura da depressão.

Posto tudo isso, a falta de entendimento da etiologia da depressão é o principal fator que impede o tratamento correto e adequado dessa doença e, assim, impede também que muitas vidas sejam salvas.

COMO CURAR A DEPRESSÃO SEM REMÉDIOS?

Se eu pudesse descrever um meio para orientar a cura da depressão, eu diria ao portador da doença: "Não permita que seus problemas se acumulem. Enxergue que o gigante da sua vida é você, e não seus problemas".

Essa fala está arraigada em minha convicção de que, para se alcançar o equilíbrio emocional – e, assim, resolver os obstáculos que aparecem no nosso caminho –, são necessários dois passos. O primeiro é evitar o acúmulo de sentimentos e memórias destrutivas, responsáveis pela disfunção cerebral que leva à depressão; em outras palavras, tornar-se amigo do passado, o enxergando com muita gratidão, de modo a diminuir o fardo que ele provocou em alguma fase da vida. Retirado esse peso, a mente pode funcionar de forma harmônica, liberando os sentimentos de forma compatível com as situações enfrentadas no presente: sejam eles medo, tristeza ou alegria, o paciente os sentirá de maneira equilibrada. O segundo passo é dedicar tempo para atividades diárias que equilibrem as principais áreas na trajetória de um ser humano: vida interior, vida pessoal, vida profissional e vida interpessoal. Essa distinção é importante, já que, para uma caminhada mais equilibrada, 4 áreas são essenciais. A primeira diz respeito à qualidade de vida, que engloba os seguintes pontos: hobbies e lazer, espiritualidade e plenitude. A segunda, a vida pessoal, abarca a saúde, o equilíbrio emocional e o desenvolvimento intelectual. A terceira concerne à esfera profissional, ou seja, os recursos financeiros, a contribuição social e o propósito. E, por fim, a quarta corresponde aos relacionamentos, isto é, os relacionamentos amorosos, a família e a vida social.

E, antes de avançarmos com o conteúdo do capítulo, lembre-se: ainda que o método Saúde de Gigantes tenha apresentado sucesso em centenas de pacientes, cabe destacar que sua aplicação não substitui o parecer profissional e o ideal é que essa jornada seja feita sob supervisão de um profissional capacitado da área de saúde.

COMO SE TORNAR AMIGO DO PASSADO?

Para fazer as pazes com o passado e, assim, dar o primeiro passo para a cura efetiva da depressão, é preciso reconhecer que sua vida foi, sim, marcada por vários problemas e obstáculos. Para seguir adiante, é preciso identificá-los, mas, sobretudo, superá-los, uma vez que é através deles que desenvolvemos nossa capacidade de resiliência.

Existe uma forma prática de se fazer isso. O paciente deve escrever sua história em ordem cronológica, desde seu nascimento até os dias atuais, destacando pontos que ele julgue marcantes de alguma forma. Para cada um desses pontos, deve-se enfatizar os sentimentos vividos à época do acontecimento e os sentimentos vivenciados no presente, quando tais fatos são relembrados.

Essa atividade permite que o portador de depressão faça uma releitura de sua vida e monte o quebra-cabeça de sua própria história, tendo uma visão mais ampla dela. O passado, ainda que muito doloroso, passa a fazer sentido e é percebido como parte do processo evolutivo – e o paciente vê também que, na realidade, seus problemas não eram tão grandes assim. As mágoas e sentimentos ruins ficam mais fáceis de serem transpostos. Assim, o paciente pode se libertar desse acúmulo de sentimentos negativos, que é, em primeira instância, o responsável por gerar a disfunção cerebral causadora da depressão.

VIVENDO UMA NOVA ROTINA

Após a conclusão dessa etapa, é preciso iniciar uma nova rotina diária. O ser humano, para viver de forma saudável, precisa manter em equilíbrio as mencionadas quatro áreas fundamentais na trajetória de qualquer um: vida interior, vida pessoal, vida profissional e vida interpessoal. Só é possível tratar a depressão de forma definitiva quando há a organização de todos esses pontos. Para fazer essa organização, o paciente deve pensar quais atividades ele pode dedicar a cada uma dessas áreas, de forma que elas sejam igualmente contempladas. Assim, deve-se usar um *planner*, dividindo as 24 horas do dia entre tais esferas e cumprindo rigorosamente as atividades prescritas para cada uma delas. Dessa forma, não haverá nenhuma lacuna para tempo ocioso, e sim espaço para exercer atividades que normalizam os níveis dos neurotransmissores, da mesma maneira como os antidepressivos atuam.

Por exemplo: no que diz respeito à saúde física, e, portanto, à vida pessoal, pode-se implementar, na rotina, uma atividade aeróbica – que libera serotonina e dopamina, além de controlar os níveis de cortisol. Todas essas substâncias fazem com que o paciente reduza seu estresse e atinja, após a atividade, sensação de bem-estar. No quesito da vida interpessoal, é possível a adoção de hábitos como o abraço, a conversa olhando nos olhos e elogios. Quando falamos de vida profissional, o paciente deve refletir sobre sua satisfação atual com seu trabalho, em que medida isso o completa ou esvazia financeira e pessoalmente. Por fim, em relação à vida interior, o portador de depressão deve alinhar sua espiritualidade, intensificando os hábitos de perdoar e agradecer.

EXPERIÊNCIA PESSOAL

Muitos livros da medicina psiquiátrica tratam a doença depressão de uma forma muito subjetiva. Na prática, apenas o portador sabe descrever o quanto essa enfermidade é incapacitante. A sensação de vazio, de tristeza e de aflição só pode ser verdadeiramente descrita por quem já sofreu de depressão. É assustador o conflito de pensamentos quando estamos sozinhos em algum ambiente. É como se uma força mais poderosa que você estivesse tentando empurrá-lo para um abismo. São daí que surgem os pensamentos suicidas – e eu posso dizer por mim, porque já estive nesse lugar.

Na adolescência, enfrentei uma crise depressiva tão grave que me levou ao ponto de uma tentativa de suicídio. Não foi a última crise que tive, mas foi a mais grave: até a conclusão da graduação, minha vida foi marcada por inúmeras crises depressivas. Qualquer problema bastava para eu achar que minha vida não fazia sentido.

Contudo, ao começar minha especialização em saúde mental e entender a etiologia da depressão, compreendi que meu propósito era resolver meu passado, curar minha própria depressão e, tendo sucesso nisso, passar a aplicar a mesma lógica para tratar meus pacientes. Afinal, se eu não tivesse tido sucesso comigo, jamais conseguiria tratar, sem remédios, um paciente depressivo apenas pelo fato de eu ser médica e ter especialização em saúde mental.

Voltando ao meu caso: quando apliquei – não só em mim, mas também nos meus familiares – esse conjunto de técnicas, que são simples, mas levam a resultados incríveis, percebi que é possível tratar essa doença sem o uso de medicação. No entanto, conforme demonstrado, isso só acontece quando começamos o tratamento pela origem do problema: o passado. Sou a testemunha viva da eficácia desse método e de que esse é o caminho verdadeiro para o tratamento da depressão. Apesar de a eficácia desse caminho, ele requer também persistência, organização e equilíbrio. Hoje, diferentemente do que no passado, consigo sentir a vida.

Assim, se todas as técnicas descritas forem colocadas em prática diariamente, o leitor conseguirá controlar sua ansiedade, suas crises e, até mesmo, sua depressão.

Com essa nova rotina, o paciente conseguirá manter equilíbrio emocional para enfrentar os novos desafios e obstáculos da vida. Se a técnica for feita sem pular etapas, ele será capaz de eliminar as dores que carrega desde sua infância, tornando-se livre para ser protagonista de sua própria história. Passará a acreditar que a vida vale a pena ser vivida. Entenderá que não há motivo para remoer seu passado ou se preocupar excessivamente com o futuro – afinal, ele não terá nem mais tempo para isso.

Agora, na sua agenda, não haverá mais lacunas vazias. Cada minuto será destinado à realização de alguma tarefa importante. O foco passará a ser o hoje: como melhorar, hoje, a saúde, o trabalho, as finanças, os relacionamentos, a vida espiritual. A atenção estará, enfim, no aqui e no agora!

Depois que descobri como é bom viver verdadeiramente, sinto a necessidade de ensinar esse caminho a todos que conheço. O mundo precisa saber que depressão tem cura! Desperte o gigante que há dentro de você! O paciente precisa descobrir e aplicar as técnicas citadas para ter, definitivamente, uma vida com paz e equilíbrio emocional.

Meu conselho aos portadores de depressão é: todos devem escrever e ler sua própria história para entender que suas dores levam ao amadurecimento e, assim, enxerguem sua missão na Terra; e que, a partir dessa clareza, possam viver de acordo com o seu propósito de forma simples, leve e feliz.

> **O MUNDO PRECISA SABER QUE DEPRESSÃO TEM CURA. DESPERTE O GIGANTE QUE HÁ DENTRO DE VOCÊ!**

Teresa Cristina Lopes Romio Rosa

Médica formada pela Unifesp/EPM, neurologista pela Academia Brasileira de Neurologia e AMB no Hospital São Paulo-Unifesp/EPM, *Self, Life and Professional Coach* pela ICS/WCC e sexóloga clínica pós-graduada pela IBCMED. *Speaker* de laboratórios nacionais e multinacionais desde 2006, já escreveu capítulos para diversos livros técnicos de medicina. Concursada em duas prefeituras, atende também em consultório particular, buscando fazer diferença na vida das pessoas. Felicitadora e *Happiness Manager* pelo Instituto Happiness, no Brasil, e Must University, na Flórida. Casada, mãe do Victor e de 3 anjos.
Instagram: @drateresacristinalrrosa

Samanta Barbosa

Perdoe-se e seja feliz

De acordo com o método da constelação familiar, criado por Bert Hellinger em *Ordens do Amor* (Cultrix, 2001), somos produtos das nossas próprias histórias e de todos que vieram antes de nós. Durante a nossa trajetória, conhecemos muitas pessoas e vivenciamos sentimentos bons e ruins. Todos, porém, são importantes para nossa formação.

Ao longo da nossa infância, na convivência com nossos pais e na nossa formação escolar, passamos pelo sucesso e pela derrota. Dependendo da nossa resposta a essas situações, a experiência pode nos acompanhar por toda a vida. Como exemplo, posso citar casos de crianças que vivenciam agressividade nas suas casas e repetem isso na escola, espelhando esse comportamento, ou na escolha de seus companheiros na vida adulta, pois, inconscientemente, buscam alguém igual aos seus pais.

Recebo, todos os dias, pacientes que não foram amados nem valorizados na infância, não receberam reforço positivo, apenas críticas. Chegam sempre em meu consultório queixando-se de tristeza e dores de cabeça e no corpo, e, embora não saibam a origem de suas mazelas, a linguagem corporal diz muito sobre elas. Essas pessoas desenvolveram sentimentos de inferioridade, falta de iniciativa e desilusão. Frustradas e amarguradas, sentem-se culpadas pela falta de amor e atenção. Desmotivadas, têm problemas de autoimagem. Acostumaram-se a não enxergar qualidades em si mesmas.

Sonja Lyubomirsky, PhD em Ciência da Felicidade e escritora de vários livros sobre o assunto, relata em sua Ted Talk, "*The How of Happiness*", de 2016, que a felicidade é determinada 50% pela genética, 10% por circunstâncias da vida (casamento, nascimento de filhos, trabalho, doenças) e 40% por atividades intencionais (ou seja, algo que **você** pode controlar). Então, temos uma margem de 40% de felicidade que é treinável. Ela demonstra que a felicidade está ligada à melhora do sistema imune, a uma menor taxa de AVC e doenças cardíacas, a uma melhor sobrevivência de pacientes com cânceres e à diminuição de mortes por outras causas. Revisando 225 estudos, ela comprova que pessoas mais felizes são mais produtivas e têm mais promoções no trabalho, são mais criativas, ganham mais dinheiro, apresentam casamentos mais longos, além, ainda, de terem mais amigos, ou seja, um maior suporte social, e serem mais úteis e mais resilientes quanto ao estresse e aos traumas.

Ela ainda questiona: "Se fosse o seu último mês de vida, o que você faria?". Vamos, nós, fazer esse exercício agora: feche os olhos e imagine quais são as 3 coisas que você faria se soubesse que esse seria o seu último mês. Pense se você tem feito alguma dessas 3 coisas e, por essa resposta, já pode começar a praticar seus 40%. Pessoas felizes tendem a se manter felizes ao longo dos anos porque praticam atividades que as fazem mais felizes. Então pratiquemos a felicidade diariamente, sendo gratos, experimentando coisas que nos dão prazer.

Devemos mostrar a essas pessoas que não se sentem felizes que elas podem ser diferentes se acreditarem nelas mesmas. Devemos nos amar em primeiro lugar, pois assim teremos menos chances de viver experiências traumáticas, como as relações abusivas. E isso não se limita somente aos relacionamentos amorosos, estende-se também ao campo profissional. Alguns dos meus pacientes trabalhavam em empresas nas quais não se sentiam bem, mas onde permaneciam por sempre ouvirem que precisavam ter uma carteira assinada para serem felizes. Precisavam de segurança para ter um futuro brilhante. Ainda tinham aqueles que seguiam o caminho dos pais, já que herdaram o negócio de família e se viam na obrigação de assumi-lo.

A vida é feita de escolhas, e a frustração e a amargura causam doenças. A maioria das pessoas segue a vida sem pensar muito no futuro. Ouço com frequência frases como: "preciso pagar as contas", "não posso tentar algo que pode não dar certo", "tenho responsabilidades para com meus filhos", "meu pai já trabalhava com isso e foi muito feliz" ou, ainda, "meu pai traiu minha mãe, e ela, por causa dos filhos, não se separou; foi uma mulher muito forte". Em alguns casos, como no último citado, os autores dessas frases se esquecem de que tais escolhas não foram deles e de que eles podem fazer diferente.

Quando crianças, costumamos ouvir a pergunta: "o que você vai ser quando crescer?". Conforme a faixa etária, damos as respostas costumeiras, mas ninguém diz: "**vou ser feliz**"! Por que será que é tão difícil escolher ser **feliz**? Não deveria ser a maior prioridade da nossa vida? Esse direcionamento começa na infância. Devemos fazer diferente com nossos filhos. Por exemplo, pode ser que, em algum momento, você já tenha se sentido desvalorizado ou desmotivado pelos seus pais por não ir tão bem na escola quando você era mais novo, e isso acarretou consequências que são observadas até os dias de hoje, consciente ou inconscientemente, como a insegurança ou o sentimento de insuficiência. Se você tiver filhos, pode fazer aquilo que não fizeram por você, como, nesse caso citado, procurar entender o porquê de apresentarem dificuldades na escola ou, ainda, parabenizá-los e valorizá-los quando tiram notas satisfatórias, sendo elas recorrentes ou não. Como explica brilhantemente Rita F. Pierson, educadora norte-americana, em sua apresentação no TED 2013, intitulada "Every Kid needs a Champion", "cada criança merece um herói, um adulto que nunca desista deles, que perceba o poder das ligações e que insista que eles se tornem melhor do que podem ser". O ideal é criar um ambiente em que a felicidade pode ser criada e cultivada.

Devemos, então, orientar nossas vidas para sermos felizes. Seja desejante! Busque o que faz você sorrir com os olhos. Você tem grande chance de ser feliz. O amor nunca se quebra! Principalmente o amor que sentimos por nós mesmo, por isso busque o autoamor diariamente com ferramentas simples e fáceis, como diz Cristina Biscaia em *O poder de autoamor* (Gente, 2022).

Agora, você deve estar se perguntando: "Como vou saber o que me faz sorrir com os olhos?". Ao longo da vida, encontramos pessoas que nos fazem repensar o caminho escolhido. Nem sempre temos a coragem de buscar esse novo caminho, mas a vida pode nos mostrar opções. Só precisamos estar abertos às mudanças e acreditar em nós mesmos. Essas mudanças podem começar com a procura de apoio psicológico, espiritual ou de um *coach*.

Os pacientes que mencionei anteriormente não tinham ideia de que estavam no caminho errado, mas adoeceram e buscaram a ajuda de uma neurologista, *coach* e sexóloga que lhes perguntou: "Por que você carrega o mundo nas costas?", quando a queixa era de dor na coluna cervical; ou "há quanto tempo você não namora seu marido?", quando o relato era de dores de cabeça e pescoço; ou, ainda, "o que fez você se sentir triste?", quando o sintoma era uma crise de asma após muito anos estável. O nosso corpo fala e, quando chegamos ao nosso limite, ele fala por nós.

No filme *A Cabana* (2017), existe uma concepção de perdão que considero ser a melhor: "O perdão existe em primeiro lugar para aquele que perdoa, para libertá-lo de algo que vai destruí-lo, que vai acabar com sua alegria e capacidade de amar integral e abertamente.". Há um grupo de estudo da Universidade de Stanford, do diretor Frederic Luskin, chamado *Forgiveness Projects* (Projeto Perdão), que afirma que, ao perdoar, você se livrar da mágoa, diminuindo o estresse, a pressão arterial, a tensão muscular e, consequentemente, reduzindo também o risco de doenças cardíacas. O Projeto Perdão se concentra em treinar o perdão como uma maneira de amenizar a raiva e a angústia envolvidas em sentir-se magoado. Sugere, ainda, que as mulheres podem perdoar mais do que os homens. Eles também desenvolveram uma definição para perdão: "Nossa definição de perdão sustenta que o perdão consiste principalmente em tomar menos ofensas pessoais, reduzir a raiva e culpar o ofensor, e desenvolver maior compreensão de situações que, muitas vezes, levam a sentir-se magoado e irritado". Ou seja, uma experiência transformadora que promove emoções positivas sobre você e os outros. Pratiquemos diariamente a Inteligência Social, de Daniel Goleman.

Podemos usar diversas dinâmicas, dependendo do local em que serão realizadas. Em uma empresa, é possível executar sessões de *coach* individuais ou em grupo. Um exemplo de atividade coletiva é a dinâmica do "*Feedback* positivo", ela consiste em colocar uma pessoa sentada em uma cadeira e ordenar os demais participantes em fila na frente da cadeira. Cada participante se aproxima da pessoa sentada e diz, em alto e bom som, uma qualidade que enxerga nela, mesmo sem a conhecer muito bem. Isso quebra o condicionamento, pois os julgamentos que fazemos são, normalmente, críticas destrutivas. Tal dinâmica tem por objetivo fortalecer os participantes, fazendo-os valorizar suas qualidades, além de quebrar barreiras e crenças, unindo mais o grupo. Por que não fazê-la em uma reunião de família? Vocês, com certeza, irão se surpreender positivamente com as respostas. E que tal todas as vezes que formos discutir um problema já trazermos uma solução? Essa é uma dinâmica que podemos aplicar em todas as áreas da vida, como ensinou Sandra Teschner, fundadora do Instituto Happiness do Brasil, no seu artigo "Para cada solução, mais um problema, por favor!", publicado pelo *site O Especialista*, em 16 de agosto de 2022.

Já, individualmente, podemos realizar uma antiga prática havaiana de autoperdão, chamada Ho'oponopono, que emprega apenas quatro frases: "sinto muito", "por favor, me perdoe", "eu te amo" e "sou grato". Qualquer pessoa pode realizar essa prática em casa mesmo, podendo ser em frente ao espelho do banheiro ou do quarto, colocando uma música que a inspire, enfim, da maneira que se sentir mais à vontade. A técnica consiste em repetir as frases, pelo menos quatro vezes cada uma, todos os dias, olhando para o espelho. Após essa prática, aproveite e olhe no espelho e elogie-se em voz alta. Você vai perceber diferença na primeira semana da técnica.

A primeira vez que eu apliquei a técnica do Ho'oponopono com um paciente foi instintivo. Parecia que alguém me guiava, dizendo os passos que eu deveria seguir durante a técnica. Foi tão forte que, tanto a paciente como eu, nos emocionamos. Ela realmente reiniciou sua vida após a dinâmica. Em todas as ocasiões em que apliquei o Ho'oponopono, meus pacientes me relataram que imaginavam que essas frases eram para dizer para outra pessoa. A isso, respondo: "**você está falando isso para outra pessoa que está aí dentro de você e de quem você se esqueceu!**". Ao ouvirem isso, eles sempre se emocionam, assim como eu, pois todos nós temos algo a perdoar dentro de nós mesmos. Recentemente, uma paciente me disse, agradecida: "Você me reinicia a cada consulta!"; após passar pela perda do filho e por uma depressão muito forte, ela relatou: "pela primeira vez eu consegui me olhar no espelho dentro dos meus olhos, eu te prometo que agora eu vou me curar".

Ao longo desses 21 anos de prática médica, auxiliei várias pessoas com dinâmicas diferentes e sempre recebi de presente a resposta: "você mudou minha vida!". Um dos primeiros pacientes que atendi no ambulatório tinha dor de cabeça e vinha com uma mala para consulta, já entrou dizendo que ninguém conseguia ajudá-lo, abriu a mala de viagem, que continha todos os *blisters* de remédio que já havia tomado, dizendo todas as perdas que teve na vida por causa da sua dor física. Esperei ele mostrar e falar tudo o que queria, depois, calmamente, olhei em seus olhos, como sempre faço, e falei para ir embora. Ele estranhou. Disse que não poderia ajudá-lo, pois havia casado com sua dor e não queria se divorciar e que era melhor ir embora. Ele me olhou espantado, porque, pela primeira vez, alguém olhou nos olhos dele e falou isso. Acalmou-se e, então, prescrevi uma medicação que ele já tinha tomado, mas, dessa vez, ele melhorou, porque estava decidido a se livrar daquela dor. Saiu da posição de vítima e resolveu agir. Praticou o perdão e acreditou que podia confiar em alguém depois de tantos anos; isso foi curativo, fazendo-o se livrar da dor. Foi libertador, segundo seu relato no retorno. E não há nada melhor do que ajudar alguém a se reencontrar.

Elizabeth Gilbert, em seu livro *A grande magia* (Objetiva, 2015), nos sugere que há ideias pairando por aí, e, se você não tiver coragem para colocar a nossa em prática, alguém fará isso em nosso lugar. Podemos até achar que roubaram nossa ideia, mas, na verdade, as ideias têm vida própria e podem ser captadas por qualquer pessoa. Portanto, acredite no seu potencial e coloque suas ideias em prática. Certamente, você mudará a sua vida e fará diferença na vida de muitas outras pessoas.

Se você conseguiu reencontrar o ser maravilhoso que existe dentro de você, **parabéns**! Agora, compartilhe o seu aprendizado com as pessoas próximas e multiplique essa sensação de bem-estar! Faça isso reverberar. Elogie as pessoas. Pratique o reforço positivo diariamente. Ame-se e permita-se ser amado. Seja grato sempre. Perdoe-se e aos outros.

Só estamos nesta vida para uma coisa: sermos felizes.

Será que você está cumprindo sua missão?

SEJA DESEJANTE! BUSQUE O QUE FAZ VOCÊ SORRIR COM OS OLHOS! VOCÊ TEM GRANDE CHANCE DE SER FELIZ! O AMOR NUNCA SE QUEBRA!

NEGÓCIOS E DESENVOLVIMENTO PROFISSIONAL

Cassio Canali

Dono do maior canal do Brasil no YouTube sobre vendas nacionais sem estoque, seus vídeos somam mais de 40 milhões de visualizações. Empreendedor e consultor de vendas *on-line*, pós-graduado em Liderança de Pessoas e Negócios pela ESPM e mentor do Negócio de 4 Rendas – maior treinamento digital sobre o tema do país –, criou o exclusivo método DEP (*Dropshipping* a Pronta Entrega) e já ajudou mais de 50 mil alunos a se libertarem da venda do tempo e da escassez ao criar um negócio lucrativo sem estoque. Intensamente apaixonado por empreendedorismo, acredita que ser dono do próprio negócio sem estoque com fornecedores nacionais é a maneira mais simples para atingir liberdade financeira, geográfica e de tempo.
Instagram: @cassiocanali
Youtube: Cassio Canali

João Menna

LIBERDADE FINANCEIRA

Muitas pessoas se esforçam em seus empregos, dedicando-se com afinco, mas não conseguem ser reconhecidas pelo empregador, nem receber um salário compatível com o esforço investido. Elas vendem o bem mais precioso que possuem, seu tempo de vida, em troca de um salário insatisfatório que mal dá para pagar as contas do mês.

E muitas dessas mesmas pessoas já sabem que empreender é a forma mais rápida para atingir a sonhada liberdade financeira, porém são detidas pela crença de que ser dono do próprio negócio exige alto investimento, conhecimento, talento e tempo de sobra. Outro impedimento ao empreendedorismo é o medo de que o esforço dedicado não dê certo. Esses dois fatores têm aprisionado milhares de pessoas em uma rotina desgastante, impedindo a construção do futuro que desejam. Essa crença de que só é possível gerar renda por meio da venda do seu tempo em troca de um salário é o que eu chamo de Síndrome da Dependência de uma Renda. Essa síndrome produz efeitos muito negativos. A pessoa se sente presa a um sistema que suga toda a sua energia, fazendo o que não gosta e se sentindo desvalorizada. A frustração, a tristeza, a desmotivação e o estresse se instauram. É um problema que afeta todas as áreas da vida. De fato, viver na escassez deixa as pessoas infelizes, trazendo a sensação de que estão perdendo tempo de vida e empregando muito esforço para chegar a lugar nenhum.

Certa vez, um aluno me enviou um depoimento que ilustra bem as frustrações causadas pela Síndrome da Dependência de uma Renda:

"O que mais desejo é poder comprar o que tiver vontade, sem medo de faltar dinheiro amanhã, ou não ter de escolher o mais barato e nem sempre de melhor qualidade. Obter ótimos lucros para que nunca mais eu precise me preocupar em contar moedas no supermercado, com receio de não ter o suficiente para comprar tudo o que está na lista. Poder ter o bastante para investir em lazer, conhecer lugares diferentes ou apenas poder sair no fim de semana, sem medo de levar a família para lanchar e ficar sem dinheiro. Pagar as dívidas e ter paz no meu casamento. Poder comprar alguns presentes para minha filha e ver o sorriso de alegria no rosto dela! Fiz uma avaliação da minha vida profissional desde o meu primeiro emprego e, até o momento, em termos de realizações, foram pouquíssimas. A maioria está na gaveta, e o que mais me dói é que são coisas simples. Meu maior medo é continuar paralisado, acabar não fazendo o que quero e envelhecer frustrado e arrependido, sentindo remorso por todos os projetos que eu deixei para trás. Perdi meu pai recentemente e ficou aquela sensação de que eu poderia ter passado mais tempo com ele, mas meu trabalho não permitia, trabalhava aos domingos e feriados, e quase não sobrava tempo para família."

É por falta de informação e preparo que muitas pessoas acabam presas em situações semelhantes a desse relato. Não aprendemos empreendedorismo

Liberdade financeira

e educação financeira na escola. Somos ensinados, desde cedo, a trabalhar para os outros. Ouvimos durante toda a vida frases desencorajadoras, como "um bom emprego é o melhor caminho para a segurança financeira", ou "ser dono de um negócio não é para você", ou, ainda, "é melhor ser pobre e ter saúde que ser rico e doente". Essa verdadeira doutrinação gera crenças limitantes que nos dominam até a idade adulta e afetam todas as nossas decisões.

Outro fator que prende as pessoas à Síndrome da Dependência de uma Renda é a falta de perseverança. Muitos desistem assim que surge a primeira dificuldade. Quando isso ocorre, a maioria arranja justificativas que desculpam sua desistência e parte em busca da oportunidade perfeita. E isso vai se repetindo em um ciclo interminável de frustrações. Suas próprias mentes sabotam seus esforços e minam a determinação de começar e ir até o fim, não importando o que aconteça. Contudo, o que separa o sonho da realidade é a atitude de fazer até dar certo.

Saber disso é LIBERTADOR. É como se as correntes que prenderam você por toda a vida fossem quebradas. Ao compreender que tudo só depende de você, que o poder da mudança é só seu, você se torna agente da própria mudança. Quando você foca apenas naquilo que pode controlar, passa a ser o protagonista da sua própria vida. Isso produz uma mudança de atitude. É você quem vai buscar criar suas próprias oportunidades. Com a atitude de fazer até dar certo, sem desistir, você passará a acreditar que pode construir um futuro espetacular. Isso fará com que você se liberte das crenças limitantes e compreenda que o sucesso só é alcançado por meio da persistência. Assim, você poderá iniciar sua jornada rumo à construção do futuro que deseja.

Eu mesmo sou prova disso, e gostaria de compartilhar com você o que me impulsionou a criar um método que me proporcionasse conforto financeiro e qualidade de vida. Aos doze anos de idade, sofri uma humilhação ao realizar um trabalho. Após passar o dia distribuindo panfletos sob um sol escaldante, a dona do brechó que me contratou não quis me pagar, alegando que eu não havia entregado panfletos em lojas de conhecidos dela. O problema é que eles não me viram panfletando em seus estabelecimentos e testemunharam contra mim. Só consegui receber os quinze reais que me eram devidos pela intervenção da minha mãe. Mas o que me marcou e me motivou a me tornar um empreendedor foi o que minha mãe me disse, após resolver essa situação: "Cassio, levante sua cabeça e não se permita ser humilhado. Se hoje você é panfleteiro, amanhã pode ser dono do seu próprio negócio, porque todos nós somos filhos de Deus e temos a mesma capacidade de realizar".

Essas palavras, que reverberam ainda hoje em mim, afetaram todas as minhas decisões futuras. A partir de então, ainda muito jovem, busquei oportunidades de empreender na internet, mesmo tendo poucos recursos para começar.

Para me libertar de todas as crenças de incapacidade e escassez, procurei escutar áudios de afirmações positivas todas as noites, antes de dormir, que são facilmente encontrados no Youtube, pesquisando pelos termos "afirmações positivas eu sou". Também criei o hábito de ler duas páginas por dia de livros sobre a mentalidade correta com relação ao dinheiro. Além de colocar em imagens na porta do meu guarda-roupa tudo aquilo que eu almejava alcançar.

Depois de me dedicar e de perseverar, sem desistir, acabei por validar minha própria versão do Método DEP (*Dropshipping* a Pronta Entrega) de venda *on-line* sem estoque e conquistei a minha liberdade financeira. Hoje, posso proporcionar mais conforto e qualidade de vida a minha família.

Sabemos que o tempo é a nossa moeda mais preciosa, e eu posso afirmar que é totalmente possível fazer dinheiro com menos esforço e cansaço físico. Com o conhecimento adequado, você pode deixar de vender seu tempo e passar a vender coisas. Afinal, a internet proporciona formas mais inteligentes de se fazer dinheiro, com liberdade e comodidade. Mas como fazer isso de maneira prática?

Veja, a seguir, alguns passos que elaborei e que você pode aplicar, dispondo de ferramentas simples.

O PODER DA MULTIPLICAÇÃO

Não seria incrível ter várias cópias suas trabalhando ao seu favor, enquanto você, o original, estivesse fazendo o que gosta? Com a internet, é possível se multiplicar e colocar seus "clones" para trabalhar para você. Na medida em que você segue uma estratégia validada e anuncia da maneira correta dezenas de produtos em mais de um *site* de venda, como Mercado Livre, Shopee, Amazon, Marketplace do Facebook, entre outros, está, de certa forma, clonando a si mesmo. Desse modo, seus anúncios trabalharão para você 24 horas por dia, sete dias por semana, gerando vendas. É um esforço cumulativo todo a seu favor. Quando você tem cem, quinhentos, mil anúncios diferentes nos *sites* de vendas mais populares do Brasil, você está multiplicando a sua ação.

Mas como começar do zero, sem precisar investir em estoque próprio? Como focar somente na venda de produtos, enquanto um fornecedor cuida do armazenamento e das entregas? Isso é possível com o Método DEP. *Dropshipping* é quando o fornecedor faz a postagem da venda diretamente para a casa do seu cliente, e pronta entrega é quando o produto já está no Brasil, disponível para rápido envio. Dessa maneira, você utiliza fornecedores nacionais para evitar dificuldades com a importação, como impostos alfandegários, extravios e atrasos nas entregas.

Esse modelo logístico, muito conhecido em países como a China e os Estados Unidos, gerou um mercado bilionário. No Brasil, ainda é pouco utilizado pelos fornecedores tradicionais – importadores, atacadistas e fabricantes.

Exatamente por isso, oferece uma grande oportunidade de parcerias exclusivas no modelo sem estoque. O Método DEP faz essa ponte. Ele consiste em um *kit* de ferramentas que possibilita converter fornecedores nacionais comuns em fornecedores *dropshippers*, algo inédito no Brasil. Uma grande vantagem desse método de venda é que ele não exige um alto capital inicial, pois você só pagará o fornecedor depois que a venda for realizada. Com esse método, meus alunos mais empenhados faturam de cinco a trinta mil reais por mês.

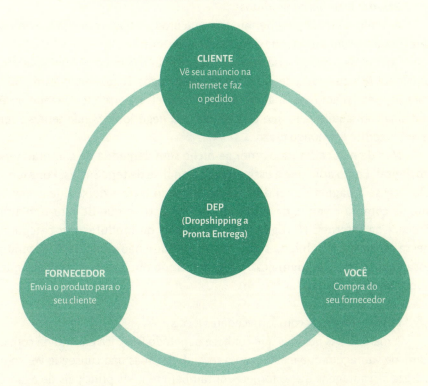

Esquema ilustrativo do Método DEP

Toda semana, posto no meu canal um novo videotutorial ensinando o passo a passo para você sair do mundo dos sonhos e tornar realidade um futuro com liberdade financeira. Lá, você vai descobrir como colocar em prática cinco passos simples:

Passo 1: Levantar o capital
Começar do zero significa não ter dinheiro sobrando para investir no negócio. Então neste primeiro passo é necessário levantar pelo menos os primeiros reais que servirão como capital de giro. Quando falo "capital de giro"

estou me referindo ao dinheiro inicial necessário para fazer apenas os primeiros pedidos com os fornecedores depois que a venda ocorrer. Os fornecedores precisam receber o pagamento do produto vendido, no ato do pedido com eles, para postar para o cliente final. Depois que a entrega ocorre o seu dinheiro vai sendo liberado para sacar junto com o lucro. Daí então com esse próprio saldo disponível você vai reinvestindo nos próximos pedidos. E a melhor forma de se capitalizar é vendendo alguns itens usados da sua casa nos sites populares de venda.

Passo 2: Escolher os produtos

A minha fórmula para definir com que produto você trabalhará é unir o que você ama com a demanda de mercado na internet.

Você pode começar essa análise listando seus dez maiores hobbies, tudo aquilo sobre o que gosta de falar com os seus amigos. Por exemplo: carros, decoração, pets, maquiagem, alimentação saudável, esporte etc. Quando você trabalha com aquilo pelo que tem paixão, seu negócio de venda tende a ser leve, prazeroso e de longo prazo.

Mas de nada adianta o amor ao nicho sem demanda de compradores no digital. Então adicione a essa escolha a análise de tendências. Por exemplo, acesse a página de tendências do Mercado Livre e deixe que o maior site de compra e venda da América Latina mostre o que de fato tem alta procura na internet. Navegue pelas sugestões de produtos por categoria desse ranking e elimine da sua lista os itens que não constarem. Fazendo essa análise você também acabará descobrindo outras ótimas opções que não estavam no seu radar.

Passo 3: Negociar com fornecedores locais

A maioria das pessoas que conhece o método DEP fica encantada com o tanto de vantagem que existe para o revendedor, mas não consegue ver com clareza as vantagens que o fornecedor também tem. As principais delas são: aumento das vendas por meio de pedidos frequentes; aumento do alcance e da presença *on-line* por meio do cadastro dos produtos nos sites de vendas; zero esforço extra por meio do aproveitamento do mesmo fluxo logístico que já se tem para seus clientes diretos.

O segredo para obter o seu primeiro fornecedor nacional no modelo sem estoque é contatar fornecedores locais comuns, como fábricas, confecções, atacados, importadoras, distribuidoras, artesãos, entre outros, e apresentar, de maneira simples, o modelo de revenda sem estoque, focando nas vantagens que ele terá em permitir que você anuncie o estoque dele a partir das fotos.

Passo 4: Anunciar os produtos

Para cada parte principal do anúncio, use as seguintes estratégias:

Fotos: elas são responsáveis pelo sucesso do seu anúncio. Dê preferência por fundos neutros e claros, branco, para dar destaque ao produto. Quanto mais fotos de ângulos diferentes do produto, melhor. Varie entre frente, costas, lateral e apresente zoom nos detalhes. Dessa maneira, você se destaca, pois a maioria dos vendedores apresentam apenas fotos básicas.

Título: adicione variações de palavras pesquisáveis. Saia do óbvio e explore outras formas de se referir ao mesmo produto. As pessoas vão pesquisar de maneiras diferentes. Então adicione todas as palavras possíveis que fizerem sentido para o produto. Por exemplo: banquetas também podem ser chamadas de bancos e podem ser para cozinha, bar ou bistrô. Dessa forma, o seu anúncio vai aparecer no resultado de mais buscas.

Preço: para aquecer a conta nos sites de venda, como Mercado Livre, Amazon e Shopee, vale começar com um preço mais baixo e ir aumentando gradativamente, conforme as vendas forem entrando. Cada venda contribui para o seu anúncio subir no ranking, ou seja, aos poucos ele vai conquistando posições rumo ao topo dos resultados nas pesquisas.

Passo 5: Administrar as vendas

Assim que a venda se realizar, encaminhe para o seu fornecedor local o comprovante de pagamento do produto, a etiqueta de postagem e a declaração de conteúdo (esses dois últimos são gerados automaticamente pelo próprio site de venda, como Mercado Livre e Shopee).

Atualmente, minha missão é proporcionar a mesma liberdade que eu conquistei às pessoas que desejam empreender, mas não sabem como começar do zero. Acredito verdadeiramente que ser dono do próprio negócio sem estoque é a maneira mais simples de se atingir a liberdade financeira, podendo atuar em qualquer localidade e com mais tempo livre. E esse método está ao alcance de todos. Assim como minha mãe me empoderou, quando mais precisei, estou aqui para dizer que VOCÊ pode fazer o mesmo, seguindo esse caminho.

Esse será o pontapé inicial de algo maravilhoso que você construirá na sua vida. Finalmente, você irá criar a realidade que deseja, pois conhecerá um método validado e estará convicto de que é capaz e de que merece o melhor que há na Terra. Por isso, se falta tempo, priorize; se falta habilidade de negociação, treine; se falta conhecimento em uma área específica, estude; se falta dinheiro para começar o seu próprio negócio, capitalize.

Aceitar que você não precisa das condições perfeitas para começar a construir o futuro que deseja é a chave para o seu sucesso. Faça tudo o que você pode hoje, com os recursos que você já tem.

Para firmar esse importante compromisso consigo, antes de avançar para o próximo capítulo, preencha e assine a declaração a seguir:

> Eu, _____, decreto que estou assumindo o protagonismo da minha própria vida. A partir de agora, aceito minha imperfeição e agirei, apesar dela. Recebo o novo futuro que estou construindo e honro o compromisso que assumi, de proporcionar mais conforto e qualidade de vida para minha família. É por mim e por eles que, desta vez, vou fazer até dar certo.
>
> Assinado:_____
> Na data: _____

Desejo muito o seu sucesso!

QUANDO VOCÊ FOCA APENAS NAQUILO QUE PODE CONTROLAR, PASSA A SER O PROTAGONISTA DA PRÓPRIA VIDA. ISSO PRODUZ UMA MUDANÇA DE ATITUDE. É VOCÊ QUEM VAI BUSCAR CRIAR SUAS OPORTUNIDADES. COM A ATITUDE DE FAZER ATÉ DAR CERTO, VOCÊ TAMBÉM PODE CONSTRUIR UM FUTURO ESPETACULAR.

Denise Fernandes da Cruz

CEO do Grupo TXAI®, palestrante e influenciadora de lideranças de gestão. Formada em Administração de Empresas pela Universidade Federal de Santa Maria (RS) e pós-graduada em Psicologia Organizacional pela PUC (RS), atua há vinte e quatro anos como consultora organizacional. Com o objetivo de levar mais conhecimento prático e eficaz aos seus alunos, proporcionando-lhes ao mesmo tempo uma vida mais leve e cheia de resultados, fundou a Universidade Corporativa TXAI®.
Instagram (pessoal): @denisefdacruz
Instagram (profissional): @grupo_txai

Grupo Txai

Liderar
de verdade

Uma gestão de qualidade nas organizações produz uma transformação econômica positiva no país, gerando melhoria na qualidade de vida dos cidadãos. Isso ocorre porque as empresas prosperam, crescem e, consequentemente, precisam contratar mais profissionais. E, enquanto as pessoas estão trabalhando, gastam e consomem mais nos comércios locais, retroalimentando o crescimento das empresas. Perfeito, não é mesmo?

Em minha atividade profissional, no entanto, noto que a realidade das organizações ainda está distante disso. No que concerne tanto às minhas empresas como aos meus clientes, percebo o grande desperdício de dinheiro, de tempo, de esforço e, até mesmo, de qualidade de vida, resultantes da não realização da gestão correta da primeira vez. E é preciso compreender que a má gestão provém de sistemas falhos. Quando não há critérios, parâmetros ou procedimentos definidos, acontece um verdadeiro caos. É como se alguém sem preparo nem formação atuasse como cirurgião. Os resultados seriam catastróficos.

Em razão de uma série de circunstâncias, isso ocorre nas organizações privadas. Muitos empreendedores têm capacidade e conhecimento necessários para elaborar o conceito de sua empresa ou produto e para produzir ou prestar algum serviço, mas demonstram poucas habilidades de gerir seu negócio. São papéis totalmente diferentes.

Os profissionais da área privada que enfrentam esse problema terminam por sentir grande desgaste. Esforçam-se para produzir o dia todo e percebem que não chegam a lugar algum, além de, muitas vezes, criarem mais obstáculos para o seu negócio. Cada revés não resolvido dá origem, no mínimo, a mais uma situação problemática. No final das contas, a sensação de vazio e de escravidão em relação às atividades realizadas no dia a dia é muito impactante, pois a ineficácia começa a afetar as emoções dos envolvidos, e os próprios profissionais passam a duvidar de sua competência.

Já os gestores da área pública sentem menos esses problemas, pois o dinheiro para custear os projetos é provido pelos impostos e taxas pagos pela população. Então, quando não utilizam técnicas e ferramentas de gestão adequadas, o projeto é engavetado e são elaborados novos planos para substituir o que foi abortado. Isso, porém, nem sempre é garantia de um resultado eficaz. Embora esse tipo de gestor tenha poder para fazer o que quer, não consegue garantir resultados profícuos.

A questão aqui envolvida é corrigir a gestão, ou os trâmites administrativos, que geram os desvios e que produzem resultados ineficazes. No entanto, segundo a ideia de Inteligência Sistêmica, difundida por Décio Fábio de Oliveira Júnior, tudo que é diferente do habitual traz medo e paralisia, mesmo que a nova forma de atuação prometa resultados extraordinários. Aparentemente, as pessoas preferem seguir processos conhecidos, mesmo que isso resulte em

Liderar de verdade

sofrimento, a se disporem a aprender algo novo, cujos resultados nem sempre são garantidos – mesmo que tenham potencial para produzir efeitos positivos, como economia de tempo, obtenção de mais dinheiro, mais liberdade e uma vida mais leve.

Ao longo da minha experiência profissional, notei outro viés importante: as pessoas querem sair do ponto A e chegar ao ponto B como em um passe de mágica, sem passar pela trajetória obrigatória – e muitas vezes complexa – que deve ser percorrida para se conquistar o resultado desejado. Assim, não percebem que é esse caminho que instala a nova cultura gestacional e fortalece o engajamento e o aprendizado dos que trabalham na organização. Percebo que alguns até tentam, mas, ao primeiro desafio, desistem e voltam a praticar o que já era conhecido e, no seu entendimento, seguro. Dessa forma, permanecem com resultados medíocres e, até mesmo, precários. Entretanto, é necessário que os gestores organizacionais que querem sair do operacional e deixar de viver "apagando incêndios" estejam comprometidos a fazer a gestão da forma correta na primeira vez.

Para que isso se torne realidade, o foco da gestão deve estar no resultado. Quando decidimos realizar nossos sonhos, não adiamos o que precisa ser feito, independentemente do que seja. Para tanto, cada etapa deve ser respeitada com integridade e realizada da melhor forma possível desde a primeira vez. Desse modo, evitam-se retrabalhos, desperdício de dinheiro, saída de profissionais qualificados e, principalmente, perda de tempo de vida, tanto profissional quanto pessoal. O objetivo é alcançar o sonho e obter uma vida mais próspera, um negócio mais rentável, com pessoas felizes e que atenda ao propósito da existência da empresa para a sociedade.

Para construir uma jornada que leve você à realização do seu sonho, é necessário considerar algumas etapas que irão garantir que sua trajetória seja trilhada de maneira satisfatória e feliz. A primeira delas é organizar seu tempo entre atividades profissionais, de lazer, familiares, acadêmicas, espirituais, físicas e sociais. Todas elas são importantes para o seu crescimento como um ser completo, e, quanto mais você organizar o tempo dedicado a essas atividades, mais o terá.

A segunda etapa consiste em analisar suas atribuições profissionais e fazer um diagnóstico organizacional. O objetivo é entender qual é a situação real da sua empresa. Para tanto, é preciso falar com os gestores, conversar com os colaboradores, ouvir os clientes e todas as partes envolvidas na atividade. Em seguida, você deve produzir um relatório que detalhe tudo o que foi verificado. Esse documento será um norteador para potencializar os procedimentos que estão funcionando na empresa e definir ações para realizar as melhorias identificadas no diagnóstico.

Na terceira etapa, você deverá elaborar um planejamento estratégico, com ações de curto, médio e logo prazo. Além disso, é necessário criar indicadores de desempenho para monitorar se os resultados alcançados estão indo ao encontro do esperado.

Um detalhe importantíssimo, que não pode ser negligenciado, é a capacitação das pessoas para permiti-las absorver a nova cultura de gestão organizacional. A equipe precisa entender a finalidade de cada ferramenta que está sendo criada ou aprimorada, bem como conhecer a meta a ser atingida. O time deve, portanto, estar alinhado ao propósito da organização e ter consciência de que não está ali para trocar um dia de trabalho por um dia de salário, mas para produzir e entregar algo fenomenal para a sociedade. Por isso, é importante celebrar cada pequena vitória conquistada junto à equipe, pois essa comemoração reflete o reconhecimento do empenho dos colaboradores e os levará para mais perto do cumprimento da meta.

Venho aplicando esse método há dezesseis anos em clientes de consultorias organizacionais. Gosto de chamá-lo de "Jeito TXAI® de ser", porque ele é um apanhado de ferramentas que são encontradas em domínio público, somadas aos aprendizados que tive, tanto acadêmica quanto profissionalmente. O resultado é inconteste: mais de 450 empresas que o adotaram, conquistaram premiações e certificações como consequência da realização das etapas descritas. Quando uma certificadora como a ABNT (Associação Brasileira de Normas Técnicas), órgão independente, por exemplo, faz uma auditoria em normas (como ISO 9001/2015 - Sistema de Gestão da Qualidade; ISO 37001/2017 – Sistema de Gestão Antisuborno; ISO 37301/2021 – Sistema de Gestão de Compliance, entre outras), valida-se a implementação dos requisitos exigidos, proporcionando um alto desempenho organizacional. Isso mostra que a metodologia que utilizamos gera um resultado fantástico para as organizações. Mesmo os clientes que não participam de certificações tiveram seus negócios muito mais alinhados ao propósito de existência da empresa e obtiveram maior lucratividade.

O grande desafio é o líder estar disposto a suportar as etapas do processo de crescimento, uma vez que é ele quem deve comandar sua implantação. Quanto mais comprometido com o método e mais confiante no processo ele estiver, mais rapidamente os bons frutos serão produzidos e colhidos.

Já conversei com diversos clientes que, ao olhar para trás, percebem que a trajetória foi desafiadora e, em alguns casos, até mesmo dolorosa. Contudo, eles reconhecem que o realinhamento foi necessário para o amadurecimento do próprio líder e das pessoas que compõem a organização. Eles têm consciência de que, não obstante a dificuldade, hoje colhem frutos doces que são produzidos sistematicamente todos os anos, sem grandes esforços, uma vez que foi estabelecido um fluxo natural para que a evolução ocorresse. Isso não significa que os problemas deixaram de existir. Sim, eles continuam a existir, e novos desafios não param de surgir. No entanto, tais líderes foram treinados para saberem lidar com as adversidades que o mercado traz a cada momento. De fato, o que importa é **como** os gestores irão reagir, e não necessariamente **o que** acontece.

Com efeito, os negócios precisam de líderes que assumam suas responsabilidades de gerir os processos, os clientes, as pessoas, enfim, todas as partes envolvidas. Um bom líder torna-se modelo, espelho, gerando motivação à equipe, de modo que cada pessoa realize a ação necessária para que o sucesso desejado seja alcançado. É fundamental parar de perder tempo com atividades que não farão o seu sonho acontecer e focar em uma vida mais produtiva.

Para tanto, o líder deve assumir seu lugar de líder. Afinal, quando está atuando no operacional, no lugar de um colaborador, quem está comandando a empresa? Quando o líder questiona se só ele é capaz de realizar determinada atividade e a resposta é afirmativa, então, sem sombras de dúvidas – e sem ego envolvido –, ele está na posição correta, está exercendo, de fato, seu papel de liderança.

Esse método, garanto, é um bom caminho para uma vida leve e realizada.

UMA GESTÃO DE QUALIDADE NAS ORGANIZAÇÕES PÚBLICAS E PRIVADAS PRODUZ UMA TRANSFORMAÇÃO ECONÔMICA NO PAÍS, GERANDO MELHORIA NA QUALIDADE DE VIDA DOS CIDADÃOS. ISSO OCORRE PORQUE AS EMPRESAS PROSPERAM, CRESCEM E, CONSEQUENTEMENTE, PRECISAM CONTRATAR MAIS PROFISSIONAIS. E, QUANDO AS PESSOAS ESTÃO TRABALHANDO, ELAS GASTAM E CONSOMEM MAIS NOS COMÉRCIOS LOCAIS, RETROALIMENTANDO O CRESCIMENTO DAS EMPRESAS.

Flavia Mardegan

Designer de interiores e administradora de empresas, com mestrado em Gestão Humana e Social pela Universidade Presbiteriana Mackenzie, atua na área comercial e de projetos de grandes empresas do setor de construção, arquitetura e decoração desde 1996. Com experiência nacional e internacional, já publicou vários artigos em diversos congressos e feiras. É autora do livro *Aprendizagem nos locais de trabalho*, publicado em Saarbrücken, Alemanha. Como Gestora de Núcleos de Decoração, elaborou e coordenou diversas campanhas de relacionamento.
Instagram: @mardegantr

Henrique Ogata

O SUCESSO EM SUAS MÃOS

No meu dia a dia, fico triste em ver muitos empresários, profissionais autônomos e vendedores extremamente competentes e com produtos excelentes que não conseguem decolar.

Você, com certeza, já ouviu pessoas que estão vivendo esse momento dizer: "não vendemos o suficiente para pagar as contas", "deu prejuízo", "não era o que queríamos".

Imagine um jato executivo fantástico capaz de fazer uma viagem intercontinental, imagine quantas viagens se poderia fazer com esse jato, com todas as comodidades possíveis para uma viagem nunca antes vista. Imaginou? Agora, imagine esse jato fantástico parado no fundo de um aeroporto acumulando poeira e sem voar. Essa é a metáfora que uso nos treinamentos para lembrar que cada um de nós nasceu para voar alto e longe, porém, por muitas interferências, deixamos de voar alto para voar como se fossemos um teco-teco qualquer.

Muitos possuem um excelente produto ou serviço e não conseguem vendê-lo, ou, simplesmente, não conseguem destaque no mercado em que atuam. Outros, no entanto, possuem um produto sem grandes diferenciais ou uma competência mediana, mas atingem grandes resultados e reconhecimento. Uns estão voando alto e outros estão se habituando a voar baixo e em voos curtos. Agora eu pergunto, qual deles é você?

Um dos maiores problemas que as pessoas enfrentam para conquistar o tão almejado sucesso é o fato de acreditarem que não sabem vender, que vender é algo que desmerece suas competências e habilidades específicas e, com isso, esquecem que são os maiores vendedores de seu negócio. Essa visão é equivocada. Vender é uma habilidade essencial que todo profissional deve ter e que fará com que seu resultado aumente exponencialmente e seu negócio decole.

Outra situação recorrente são profissionais com um potencial incrível que ficam presos em seus medos e deixam de ter sua própria empresa, ou, ainda, deixam de conquistar resultados incríveis por não acreditarem que são capazes de vender seus produtos ou serviços.

Quantos profissionais você conhece que têm feito o caminho mais longo e difícil para não ter que lidar com o seu medo de vender. A estratégia equivocada que vai levá-lo para o mais distante do resultado que deseja. Tão preocupados com o "leão do dia" que se esquecem de se tornar inesquecíveis para o seu público e criarem as oportunidades de curto, médio e longo prazo.

Sabe aquele ditado: "para que simplificar se eu posso complicar!"? Deixar de gerir sua carteira de clientes de forma eficaz faz com que pareça que se está sempre começando do zero, poucos pensam em como manter seus clientes ativos e comprando, uma vez que estão sempre com o olhar voltado para o novo cliente e, assim, se esquecem de manter aquecidos, cuidados e acolhidos os que já compraram. Dessa forma, pouca atenção é dada à experiência memorável de ser a solução do cliente e ao desejo puro e genuíno dele contratar a solução que você ou sua empresa tem para oferecer para ele. Responda para você mesmo: Quantas empresas ou profissionais oferecem o mesmo produto ou serviço que você ou a sua empresa? O que faz o cliente querer comprar de você e não do seu concorrente? O que você faz de inesquecível? O que somente você faz durante o processo de venda do seu produto ou serviço?

É importante ressaltar que saímos da Era da Economia do Conhecimento e estamos agora na Era da **Economia Emocional**, e os profissionais ainda estão aprendendo a navegar por esse novo cenário em que **as pessoas e as relações são a chave**. Se antes o que valia era o que sabíamos, agora o que vale é nossa capacidade de **tocar o coração das pessoas**. Por não saber por onde seguir, uma vez que as técnicas manipulativas não estão mais funcionando e as estratégias precisam ser revistas, os profissionais estão atuando, normalmente, de forma angustiada e ansiosa.

Além disso, as organizações estão estabelecendo metas cada vez mais altas, realizando inúmeras reuniões *on-line*, negligenciando o reconhecimento do esforço, não oferecendo orientação, gerando ambientes tóxicos e dando *feedbacks* negativos. Não bastassem essas condições precárias, ainda existem os efeitos da pandemia, os novos formatos de trabalho e a queda nos resultados, mais expressiva em alguns setores específicos. Tudo isso faz parte da rotina das empresas, resultando em um aumento recorde nos números de casos da Síndrome de Burnout, segundo afirma o psiquiatra Eduardo Perin, especialista em terapia cognitivo-comportamental pelo Ambulatório de Ansiedade do Hospital das Clínicas da Universidade de São Paulo, em entrevista para o portal R7, em fevereiro de 2021. Diante desse quadro, os profissionais passam a ter grande dificuldade de superar os reveses que os impedem de conquistar os resultados almejados.

Há, em geral, dois fatores principais para tanto. A primeira grande causa é a falta de treinamento que conduz verdadeiramente ao domínio desse novo cenário e preparo dos profissionais no desenvolvimento de habilidades comerciais e de vendas. Um dado que ilustra essa situação é a quantidade de palestras que são destinadas especificamente ao setor comercial nos congressos de Recursos Humanos, que representa cerca de 1% dos temas apresentados e discutidos. Pouco se olha para os gestores comerciais e suas equipes, embora eles integrem o setor que representa a marca e garante a perenidade das empresas. Por conta disso, boa parte do trabalho fica nas mãos dos próprios empresários e profissionais que precisam, muitas vezes, buscar seu desenvolvimento de maneira autônoma e sem apoio. Isso ainda é agravado, pois, sem direcionamento, essas pessoas acabam sem saber onde encontrar o conhecimento e as atualizações necessárias.

A segunda causa que colabora com essa situação é o fato de as pessoas não saberem lidar com o novo cenário e com o novo consumidor. Elas se esquecem de que vender não é apenas um conjunto de técnicas aplicadas a qualquer momento, de qualquer maneira, e que somente gatilhos mentais levarão os clientes a comprar. A venda pode até ser realizada, mas dificilmente manterão um relacionamento de longo prazo com o cliente. Há ainda a percepção errônea de que somente a intuição levará as pessoas a atingir a meta almejada. Na verdade, é preciso ter estratégia e preparo. O resultado das vendas não depende de sorte, mas de trabalho.

Como é possível reverter esse contexto? Embora o quadro seja complicado, a resposta é bastante simples: **se você quer ter sucesso em vendas, ou em qualquer área de sua vida, assuma a responsabilidade por seus resultados, planeje e conquiste o que deseja**. Tenha em mente que a autorresponsabilidade e a flexibilidade são as habilidades mais importantes do profissional do futuro. Hoje, não há mais espaço para aqueles que se justificam pelo não realizado ou pela falta de adaptabilidade às novas tecnologias e formas de atuar.

O mundo está mudando velozmente e é preciso acompanhá-lo para se manter atuante e relevante. Para tanto, busque atualização constante, cultive bons relacionamentos em sua rede de *networking*, fique sempre de olho nas oportunidades, mantenha seus objetivos em mente e seja estratégico, principalmente quando o assunto é vendas e autodesenvolvimento.

É preciso, portanto, adaptar-se à nova realidade. A mudança – no sentido de reverter essa situação – que permitirá construir o futuro que se deseja é possível e pode ser realizada por meio da aplicação de dois passos que dependem exclusivamente de você, independente da sua área de atuação. Vamos conhecê-los.

1» ASSUMA SEU CONTROLE INTERNO

Está na hora de parar de se moldar ao mundo e começar a moldar o mundo.

Quantas vezes deixamos os nossos medos tomarem as decisões mais importantes e estratégicas da nossa vida? Quanto mais deixamos os medos conduzirem a nossa vida, mais teremos um grande e grave problema: ELA NUNCA VAI SER A VIDA QUE QUEREMOS VIVER.

Desenvolver o seu poder de se dar o valor que você merece; parar de brigar com o teu brilho; aumentar a sua confiança para viver de forma inabalável; colocar as suas emoções a serviço do seu propósito; sentir o seu poder de chamar a responsabilidade dos resultados para você; e, principalmente, assumir o seu poder de ser o criador dos seus resultados e realidade.

Quando tudo isso estiver acontecendo dentro de você, quando você desenvolver a capacidade de se colocar dentro da experiência do seu cliente, você será capaz de gerar encantamento, engajamento e, sobretudo, o desejo genuíno do cliente em criar uma relação duradoura com você. Você se tornará um especialista em conduzir pessoas a viverem o sucesso que elas desejam, você se tornará um potencializador de resultados.

2» Coloque a atenção onde você quer colher o resultado

Quantas pessoas você conhece que falam de um resultado positivo e colocam toda atenção naquilo que elas não querem.

Em determinado momento de minha carreira como vendedora, eu trabalhava em torno de doze horas por dia para conseguir o ganho necessário. Minha mãe havia acabado de falecer, e eu, no segundo ano da faculdade de Administração de Empresas, precisava me manter sozinha. Eu estava funcionando em um modo automático, tão focada no trabalho que não percebia o que ocorria ao meu redor. Até o dia em que tive uma crise de estresse e uma tendinite que me impossibilitavam de realizar projetos para atender aos meus clientes e de fazer minhas propostas comerciais. Nesse momento, decidi que precisava mudar minha vida, pois, naquele ritmo, eu não resistiria por muito tempo.

Resolvi que precisava dobrar meu faturamento com a metade dos clientes atendidos e que iria reduzir minha carga horária. Sem poder projetar por causa da tendinite, parei por várias semanas. Assumindo a responsabilidade por meus resultados, defini qual seria o caminho a seguir. Tracei um plano de ação que incluía todas as atividades necessárias. Elenquei onde estava o cliente que me daria o dobro de *ticket* médio, quais pessoas eu precisava conhecer, quem do meu *networking* poderia me aproximar de tais pessoas, quais lugares eu precisava frequentar, como eu poderia aproveitar melhor meus recursos. Listei, enfim, tudo o que precisava para realizar meu objetivo.

O resultado foi que, depois de aplicar o plano, em seis meses eu estava trabalhando com uma carga horária normal e obtendo o dobro do resultado. O objetivo foi atingido de imediato? Não. Mas com perseverança na realização das atividades planejadas, consegui conquistar a meta que estipulara e fui capaz de mudar minha vida.

Defina a sua meta (o que você verdadeiramente quer tornar real). Para atingir o resultado que você busca, é preciso, antes, ter claro o que você quer. Uma vez que o objetivo esteja claro, é primordial, em seguida, elaborar um plano de ação para conquistá-lo. Dê uma ajuda para o seu cérebro ao definir os passos que o levará a atingir seu objetivo. Para tanto, há que se definir quais

Flavia Mardegan

recursos serão necessários; quais pessoas precisarão ser envolvidas; que atividades têm de ser realizadas e em quanto tempo.

Desse modo, você será capaz de criar estratégias eficazes.

Agora eu vou lhe dar um conselho muito especial: **a maioria das pessoas não conquista o que deseja porque desiste no meio do caminho**. Muitos terminam não colocando em prática o que planejaram, ou se deixam absorver por fatores externos. Como consequência, não obtêm o resultado almejado. Torne-se especialista em utilizar a energia das adversidades em fonte inesgotável de poder de realização.

Tudo isto que coloquei aqui faz parte do método que desenvolvi para conduzir profissionais e empresas a obterem resultados extraordinários. Na verdade, mais do que a conquista do meu objetivo, esse método me possibilitou fazer uma grande – e necessária – mudança em minha vida profissional, com impacto no âmbito pessoal, e criar as realidades que determinei para minha vida e que agora quero compartilhar com você.

Quando temos um propósito claro e forte o suficiente, buscamos as ferramentas necessárias para conquistá-lo. Isso vale para qualquer meta: uma ascensão profissional, uma conquista pessoal, levar a sua empresa para o próximo nível, transformar você em uma referência que o mundo vai seguir, qualquer coisa, enfim, pela qual valha trabalhar e lutar. Portanto, foque em seu objetivo, persevere em seu propósito e use seu trabalho como ferramenta para conquistar algo maior.

Vender, para muitos, é um grande desafio, como qualquer habilidade a ser desenvolvida, porém, é a que oferece a possibilidade de conquistar resultados incríveis para que você crie um futuro maravilhoso para si e sua família. E, mesmo quando tudo parecer difícil, cabe a você decidir onde quer estar e assumir o seu papel e o seu valor. Ninguém, além de você, será capaz de dizer qual é seu potencial de conquista.

Lembre-se sempre de que a humanidade merece ser beneficiada pelo seu brilho e pela sua competência, faça com que o mundo saiba e queira o que você tem de muito especial.

> SE VOCÊ QUER TER SUCESSO EM VENDAS OU EM QUALQUER ÁREA DE SUA VIDA, ASSUMA A RESPONSABILIDADE POR SEUS RESULTADOS, PLANEJE, CONQUISTE O CORAÇÃO DO TEU CLIENTE E REALIZE TUDO QUE DESEJA.

Frederico Caldas

Jornalista, professor, escritor, coronel da reserva da Polícia Militar do Estado do Rio de Janeiro (PMERJ) e criador da Máquina de Liderança®. Como especialista em liderança de alta performance, já impactou mais de 50 mil profissionais ao longo de trinta e seis anos atuando em consultorias, aulas, treinamentos e palestras.
Instagram: @celfrederico
LinkedIn: Coronel Frederico Caldas

Priscilla Piffer

Liderança, resiliência e coragem

Muitas pessoas desperdiçam a chance de fazerem a diferença. Seja por acomodação, insegurança ou pela falta de um propósito, perdem a oportunidade de transformar a si próprias e o ambiente em que vivem, optando por fazer o básico, o mínimo – ou seja, fazem sempre as mesmas coisas e, como consequência disso, obtêm os mesmos resultados. Afinal, não é possível alcançar resultados extraordinários limitando-se a fazer o ordinário.

É preciso reconhecer que isso passa pela existência de uma espécie de hegemonia, uma verdadeira ditadura da mediocridade como parâmetro de aceitação de resultados, sob o qual ser medíocre – como expressão literal do conceito de médio – já basta. Pessoas presas a essa realidade precisam buscar um sentido para suas vidas, estarem abertas ao novo, porque a inovação é o melhor combustível para incendiar a paixão por estar vivo, para acender o brilho nos olhos, para gerar a explosão que dá a todos a energia para viver.

Em última instância, todas essas pessoas desistem de ser protagonistas de suas vidas. É como se vivessem em função do destino, sem terem o domínio de suas jornadas, ao sabor do vento. São capazes de entregar ao acaso a dádiva que é a vida, transferindo a responsabilidade pela solução de seus problemas para os outros – quando, na verdade, as respostas às adversidades que todos enfrentamos quase sempre estão dentro de cada um de nós.

Assim, é muito comum que as pessoas procurem fugir de seus problemas, acreditando que esse é o caminho para terem uma vida mais tranquila. Fazendo isso, deixam de estar no controle de suas ações e de tomar decisões que poderiam impactar positivamente seus futuros. Deixam de ser donas da própria história para serem meras coadjuvantes de suas vidas. Isso acaba ocorrendo porque elas evitam, a todo custo, ter o menor contato com qualquer tipo de insatisfação e ignoram que existe também o que podemos chamar de insatisfação positiva: uma inquietude que nos move e nos tira da zona de conforto. O quadro geral é de esquiva das responsabilidades que o próprio viver gera a todos nós, cujo comportamento de fuga de situações ou interações sociais que envolvam risco de rejeição, crítica ou humilhação pode indicar um quadro clínico que a Psicologia caracteriza como Transtorno de Personalidade Esquiva.

Fica claro que, para sair dessa situação, é necessário encarar a realidade: e isso começa pela aceitação de nós mesmos e, portanto, pelo autoconhecimento – o princípio mais importante para nos compreendermos plenamente e um passo fundamental para decifrarmos o outro e, assim, entendermos de fato o mundo em que vivemos. Não à toa, o autoconhecimento é uma das principais premissas socráticas e, também, era um imperativo na visão de outros antigos filósofos gregos – tanto que a máxima "conhece-te a ti mesmo", um dos aforismos mais famosos da história, esteve inscrita, no século IV a.C., no pórtico do Templo de Apolo, em Delfos, na Grécia, de acordo com o escritor Pausânias.

Liderança, resiliência e coragem

É comum que o medo de errar, uma dose de vergonha, o excesso de autocrítica ou a chamada síndrome do impostor nos levem a optar por uma vida medíocre. Uma pesquisa desenvolvida, em 1985, pela psicóloga Gail Matthews, da Universidade Dominicana da Califórnia, nos Estados Unidos, revela que a síndrome do impostor atinge 70% das pessoas no ambiente corporativo. Outro fator que pode resultar nesse tipo de existência é um excesso de autocobrança: a pessoa acredita que pode alcançar a perfeição e, se dando conta de que não vai conseguir, acaba paralisada. A resolução disso está intimamente ligada a termos coragem para ser honestos conosco – reconhecendo não só nossos pontos fortes, como também nossas limitações, imperfeições, medos, fraquezas e fragilidades. Mesmo sem perceber, tentamos camuflá-los, porque pensamos que, se as outras pessoas tiverem conhecimento sobre eles, teremos nossas vulnerabilidades expostas e, assim, seremos vistos como mais fracos ou até mesmo rejeitados.

Porém, para que possamos atingir o autoconhecimento pleno e, dessa forma, ingressar na jornada que nos leva a assumir o protagonismo de nossas vidas, é necessário aceitarmos nossas fraquezas. E repito: isso requer, sobretudo, coragem para nos aceitarmos por inteiro, tendo em mente que protagonismo não tem nada a ver com perfeição, até porque não podemos ficar escondendo nossos medos e imperfeições indefinidamente, ainda mais no momento atual, no qual a vida e o valor do trabalho passam por um processo de ressignificação.

Assim, encarar a realidade implica aceitação de si mesmo, atitude que ajuda a produzir a dose necessária de amor-próprio: sentimento crucial para superarmos nossas crenças limitantes, que nos aprisionam, nos imobilizam e reduzem nosso poder de transformação e crescimento.

Outro ponto crucial para que possamos obter a evolução de que desejamos de forma prática em nossas vidas é uma força interior chamada resiliência. Muitas pessoas ficam paradas na própria comodidade da vida medíocre ou em crises de toda ordem – esgotamento físico e mental, adversidades (pequenas ou grandes), entre outros problemas. Precisamos ter capacidade de transformação e isso demanda uma batalha constante para superarmos os desafios enfrentados diariamente por cada um de nós. O que determina se vamos vencer esses obstáculos é justamente nossa resiliência – ou seja, a capacidade de resistir, de superar as adversidades, de adaptar-se a elas e de tirar lições que permitam o enfrentamento de novos desafios. Passar com sucesso por esse ciclo de superação revela – e gera – inteligência emocional.

Com tudo o que foi dito até aqui, é possível concluir três coisas:

A primeira é que o autoconhecimento é um aprendizado imprescindível para tomar decisões assertivas, que definem nosso presente e impactam nosso futuro. Não trabalhar o autoconhecimento implica não tomar decisões que têm o potencial de definir – para o bem, ou para o mal – o rumo de sua vida. Sem ser líder de si mesmo, acredite: você não conseguirá liderar uma equipe sequer.

A segunda é que o sucesso é consequência dos aprendizados que desenvolvemos, principalmente nos momentos em que sofremos perdas ou quando falhamos. Por isso, a coragem e a resiliência são os maiores combustíveis para enfrentar os desafios que a vida nos impõe.

A terceira é que o difícil é o responsável por nos tirar da nossa zona de conforto. Os desafios nos obrigam a buscar novas maneiras para lidar com os problemas, superá-los e, assim, crescermos em nossas vidas e carreiras. Dessa forma, nunca podemos deixar de nos desafiar e precisamos, nesse sentido, ter coragem também de correr riscos, encarar desafios e aprender com nossos próprios erros.

A LEI DO RETORNO E A COMUNICAÇÃO

Costumo dizer que o universo funciona como uma espécie de algoritmo. Tudo que verbalizamos para ele tende a retornar, para nossa vida, na mesma intensidade e proporção, e é isso que rege a chamada lei do retorno, que se aplica a diversas áreas do conhecimento, como a Fisiologia, a Psicologia, o Espiritismo e, também, a Física, que é conhecida como a Terceira Lei do Movimento, de Isaac Newton. Assim, pensar positivo e falar com coragem sobre suas metas, seus objetivos, seu desejo inabalável de conquistar seus sonhos e de superar desafios, além de fazer o bem, colocará em prática essa lei em sua vida – de forma favorável a você.

É importante, antes de prosseguirmos, trazer uma ponderação quanto a fazer o bem, gesto que envolve solidariedade e empatia em relação a outras pessoas, mas saiba que essa postura deve ter limites: afaste-se de pessoas negativas, que sugam a sua energia. Evite investir esforço em quem não merece; fuja de gente assim.

Como disse, a lei do retorno envolve verbalização – e esta, por sua vez, passa pela nossa capacidade de nos comunicarmos. Para que possamos realmente sentir os efeitos positivos da lei do retorno, devemos, na mesma medida, desenvolver nossa habilidade de comunicação em toda sua potencialidade.

Não somente por isso: a comunicação é a habilidade mais valorizada, de acordo com o levantamento global do LinkedIn, lançado em 2020, e, assim, passou a ser determinante para se ter sucesso profissional e pessoal. Dessa forma, saber se comunicar com eficácia é regra básica para qualquer pessoa — para líderes, especialmente, podemos dizer que é uma regra crucial. Com base na minha experiência em treinamentos de liderança, afirmo: não há um bom líder que não seja bom comunicador. Por isso, você deve desenvolver a sua capacidade de comunicação para se tornar um líder mais influente e inspirador.

Liderança, resiliência e coragem

A pergunta que fica é: como se comunicar bem? Para entender isso, é preciso ter em mente que, desde a mais remota existência dos seres humanos, fomos evolutivamente programados para ter vínculos e, portanto, conexões com outras pessoas – e é justamente no outro que reside a chave para dominar a arte de gerar essas conexões.

Para se conectar, é preciso tocar o coração do outro, e a melhor forma de fazer isso é sendo autêntico, permitindo construir uma verdadeira ponte ligando você a seu interlocutor. A assertividade e a empatia são, portanto, premissas fundamentais: comunicação assertiva é falar do jeito correto, no lugar correto e no contexto correto, o que gera empatia – que, por sua vez, tem um enorme poder de inspirar as outras pessoas.

Nesse sentido, outro segredo valioso para se tornar um bom comunicador é compreender que a comunicação não é feita somente de fala, mas também de escuta. O poder de transmitir uma ideia ou conceito é algo incrível, mas quem se comunica bem é, necessariamente, um ótimo ouvinte. É preciso desenvolver a virtude de ouvir, de praticar essa escuta ativa e verdadeira, que dê ao outro a medida de como você o enxerga como alguém dotado da máxima importância.

Uma dica importante para quem quer se comunicar de maneira a gerar resultados extraordinários é dominar sobretudo a comunicação não verbal, responsável por impactar em 93% a comunicação humana, como indicam os estudos do professor emérito Albert Mehrabian, da Universidade da Califórnia, Los Angeles (UCLA). Com efeito, nossos gestos, nossa postura e até nosso tom de voz podem dizer mais que mil palavras.

A NOVA ÉTICA DA LIDERANÇA

Considerando tudo o que já foi explanado, não podemos nunca nos esquecer também de que a ética deve ser a nossa bússola em todos os níveis de relações que construímos na vida. Nossos princípios devem ser inegociáveis, e só assim seremos capazes de fazer diferença no mundo. Ser ético implica adotar um código de conduta pessoal e profissional que inclui uma noção de justiça que vai além do interesse próprio, levando em conta também o interesse do outro, fortemente baseada em ações pautadas na retidão. Tal postura implica respeitar as diferenças, ter empatia com o outro e, deste modo, ajudar na luta por uma sociedade melhor. Assim, não basta apenas deixar de ter comportamentos tóxicos e nocivos – é preciso ter atitudes que se contraponham às posturas que, historicamente, têm transformado nosso mundo em um lugar injusto e cruel com os que vivem à margem de seus direitos, inferiorizados e invisibilizados.

Com a liderança, não é diferente. É chegada a hora de uma nova prática: a ética do cuidar (que não deve ser confundida com paternalismo). O líder do futuro deve ser alguém capaz não só de agir nos mais elevados e complexos cenários e entregar resultados extraordinários, mas também deve estar disposto a surpreender quem está ao seu redor, por meio dos gestos mais sensíveis e humanos. Portanto, o líder do futuro terá que ser cada vez mais sensível e humano; demasiadamente humano.

CASE: MELHORA NA COMUNICAÇÃO E SUCESSO PROFISSIONAL

Há um caso que gosto de citar para ilustrar como a comunicação é transformadora. Durante uma mentoria individual, Alice, uma jovem executiva em ascensão em uma empresa global, me apresentou seu principal desafio: estava concorrendo a uma posição de liderança, mas julgava não ter o reconhecimento da empresa e de seu diretor, com quem não conseguia ter uma boa conexão. Pesquisando a trajetória de Alice, identifiquei que ela tinha criado um dos projetos mais inovadores da empresa. Quando perguntei sobre o projeto, Alice fez uma breve descrição de sua jornada criativa e das soluções que entregou, responsáveis por gerar resultados extraordinários para a empresa.

Apesar de perceber esse histórico de contribuições positivas por parte de Alice em seu trabalho, identifiquei algo que me chamou a atenção: ela não demonstrou o menor entusiasmo ao falar de seu projeto inovador; vi que lhe faltava brilho nos olhos. Foi a senha para que eu lhe desse aquela "sacudida emocional" e lhe recomendasse trabalhar melhor sua comunicação e suas técnicas de oratória, com ênfase na comunicação não verbal. Fizemos algumas simulações de um "*pitch* de vendas", nas quais trabalhamos as técnicas de persuasão e, sobretudo, entusiasmo. O diagnóstico foi preciso: a falta de reconhecimento afetara a motivação de Alice.

Em relação ao seu chefe, sugeri que ela estivesse mais disponível para eventualmente ajudá-lo em suas tarefas e pesquisasse pontos de contato que pudessem gerar empatia entre eles. Isso pode funcionar muito bem: identificar *hobbies* e gostos em comum, paixão por animais, por exemplo, além de compartilhar do entusiasmo pelas conquistas profissionais de seu líder. Tudo isso ajuda a estimular um *match* profissional. No entanto, é importante lembrar que a estratégia só funciona se for autêntica. Não vale mentir, ou fingir que gosta de um determinado tipo de música e aprecia uma bebida ou comida específicas só para agradar ao chefe. Mesmo que o líder esteja aberto à bajulação, não se deve cair nessa armadilha. É a morte profissional!

Passados seis meses, Alice me enviou uma mensagem muito carinhosa, relatando que fora promovida e assumira a posição de seu chefe, por indicação dele mesmo.

Conclusão: coragem e resiliência mudam a vida

Muitas pessoas fogem de problemas na crença de que, assim, podem ter uma vida mais tranquila. Deixam de tomar decisões por hesitação, insegurança ou medo. É claro que isso é legítimo, até porque a visibilidade e as conquistas têm um preço. Mas a questão é que, ao deixarmos de encarar a vida de frente e corrermos os riscos inerentes aos desafios diários com os quais lidamos em nossa vida pessoal ou profissional, perdemos a chance de crescer. O líder, contudo, não tem a opção de fugir dos problemas.

Sabemos que enfrentar tempos difíceis, superar crises ou aprender a gerenciar a escassez não são tarefas simples. O que os obstáculos que enfrentamos na vida têm em comum é o fato de oferecerem oportunidades de crescimento, trazerem aprendizados e nos tornarem mais resilientes. A crise e a dor nos preparam para sobreviver em cenários complexos, e é justamente nesses contextos em que, embora duros para qualquer pessoa, a capacidade de um líder é avaliada.

Quando decidimos assumir riscos e, como consequência, nosso protagonismo, ficamos mais fortes para enfrentar este mundo repleto de incertezas. Tenha foco e decole rumo à realização dos seus sonhos. Uma das lições mais importante que tirei da vida é: tenha fé e determinação para construir seus sonhos e lutar por eles.

Cabe às lideranças, por fim, o papel de buscar soluções e apontar os caminhos mais apropriados, com a convicção de que desafios e obstáculos têm um grande potencial de transformação. Isso exige preparo, resiliência e coragem – e coragem não é ausência de medo, é apenas a forma com a qual se lida com as próprias vulnerabilidades. Saiba que reconhecer suas fragilidades e limitações é uma atitude que demonstra não só transparência, mas também maturidade ética e alta dose de humanização. E é exatamente esse o comportamento capaz de gerar reconhecimento, legitimidade e conexão com o outro.

> **QUANDO DECIDIMOS ASSUMIR RISCOS E, COMO CONSEQUÊNCIA, NOSSO PROTAGONISMO, FICAMOS MAIS FORTES PARA ENFRENTAR ESTE MUNDO REPLETO DE INCERTEZAS. TENHA FOCO E DECOLE RUMO À REALIZAÇÃO DOS SEUS SONHOS.**

Leonardo Mack

Empreendedor serial, investidor, escritor e mentor de empreendedores.
Instagram: @leonardomack

Priscilla Fiedler

Delegar para crescer

Há inúmeros pequenos empreendedores que trabalham muito e, mesmo assim, não chegam ao resultado almejado. São os primeiros a chegar na empresa e os últimos a sair. Então, por que não prosperam, se têm tanto empenho e cuidam de suas empresas como se fossem seus próprios filhos? A resposta é simples: trabalhar nessa intensidade não significa ter sucesso – e sim que se se está investindo muito tempo em algo que pode, ou não, prosperar.

Há dois motivos principais que levam ao insucesso, apesar da dedicação ao trabalho. A primeira razão se dá pela crença da pessoa de que apenas ela consegue fazer um trabalho bem-feito. O segundo motivo acontece porque, ao alimentar essa crença, essa pessoa acredita que é muito difícil encontrar gente capaz de trabalhar em sua equipe – ou, até mesmo, que sua empresa não tem condições de contratar profissionais que você julga mais capacitados.

Essa situação é simples de se resolver. Basta focar, com disciplina e método, nas áreas e atitudes que realmente importam e trazem resultados. E, afinal, o que traz mais resultado para o pequeno empreendedor? Contar com uma equipe vencedora, o que permite que ele dirija seu foco para as maneiras de fazer seu negócio crescer.

No entanto, para construir essa equipe vencedora, o empreendedor precisa de disciplina para afinar os treinamentos do time e deixá-lo sempre funcionando e se autorregulando – mas, sobretudo, ele precisa ter confiança para delegar funções e tarefas que ele costuma desempenhar.

Muitos empreendedores, porém, relutam em delegar, pois acreditam que, para tanto, precisarão renunciar à qualidade. Por conta disso, eles se atolam em mais trabalho o tempo todo. Às vezes, precisam dizer não para alguns clientes, porque simplesmente não podem assumir mais demandas sem que haja prejuízos aos prazos estabelecidos, o que poderia impactar negativamente a credibilidade de seus negócios. Assim, eles travam seu empreendimento e deixam de prosperar.

Segundo uma pesquisa desenvolvida pelo Sebrae, em abril de 2021, denominada "Sobrevivência de Empresas", pontua-se nitidamente a falta de preparo dos empreendedores que, se desenvolvessem uma equipe eficiente, teriam mais chances de sucesso. Sendo assim, não é errôneo dizer que o maior fator de fechamento das empresas é a falta de preparo anterior ao empreendimento, e durante todos esses fatores eu atribuo a uma única causa raiz: a falta de tempo do empreendedor em focar nesses aspectos. Ele não vende mais porque não tem diferencial, não tem diferencial porque não tem tempo para criá-lo.

Além disso, ao não delegarem, ficam presos ao problema e são dominados por sentimentos negativos que cristalizam ainda mais a situação. Instalam-se a frustração e a sensação de incapacidade, pelo fato de o resultado desejado não ser atingido. O empreendedor tem medo de delegar e

Delegar para crescer

fracassar. Receia confiar nas pessoas, pois já escutou ou vivenciou histórias de equipes que se mostraram ineficientes. Acredita que, como foi ele que desenvolveu o seu próprio produto ou serviço, será praticamente impossível delegar a responsabilidade a alguém sem perda de qualidade, conforme já mencionado. Dessa forma, esse empreendedor não confia em praticamente ninguém de sua equipe e acaba acreditando que as melhores pessoas para integrar seu time são seus familiares ou amigos próximos – talvez até um vizinho ou conhecido.

Essas pessoas podem ser muito boas para convivermos nos finais de semana, por exemplo, mas é considerável o risco de contratá-las, e os papéis familiares e profissionais se misturarem. Em minhas consultorias e mentorias, ouvi diversos relatos que mostraram o quão desencorajadora essa situação foi. O empreendedor que já fez isso e viu que não deu certo pode ser levado a pensar que, se nem os familiares de sua confiança deram certo na empresa, ninguém dará. Esse engano também faz com que o empreendedor não prospere e, no fim, desista de aumentar ou melhorar sua equipe. Pior: pode até mesmo fazê-lo resolver renunciar a sua empresa.

Esses fatores contribuem para o estabelecimento de crenças limitantes, que impedem o empreendedor de fazer a virada necessária para reverter a situação de seu negócio. A primeira dessas crenças é a de que, se o empreendedor trabalhar ainda mais, vai conseguir levar sua empresa para um patamar acima do que ela está, equívoco comum principalmente entre os pequenos empreendedores. É preciso entender que levar a empresa para esse nível superior implica traçar novas visões do futuro da empresa e implementar técnicas inovadoras de gestão de equipes.

A segunda crença limitante é o empreendedor acreditar que não existem pessoas no mercado de trabalho que saibam executar as atividades de forma igual a ele – ou até melhor. Se ele reconhece que essas pessoas existem, é comum que estejam trabalhando em multinacionais ou em empresas de grande porte, o que impede o empreendedor de fornecer a elas condições que compensem uma possível mudança de emprego, conforme referenciado anteriormente.

Contudo, para se construir algo extraordinário, de acordo com o que foi explanado até aqui, é necessário montar um time vencedor. Para tanto, o empreendedor não pode ter nenhuma das duas crenças limitantes descritas: ele precisa é entender que há profissionais sensacionais, sedentos por um trabalho em que sejam treinados com eficiência, tenham seus pontos fortes incentivados e sejam respeitados, considerando suas ambições e limitações. Qualquer empreendedor tem condições de fornecer essas condições e, portanto, de construir uma equipe de sucesso, elevando a projeção de sua empresa.

Tenha em mente, porém, que você, enquanto empreendedor, é o verdadeiro responsável tanto por seu próprio crescimento, quanto pelo de sua empresa. Crescer é delegar, e delegar é confiar. Para confiar, é necessário conviver com pessoas cujo foco, assim como o seu, também esteja em construir um time de sucesso. Sozinhos, nós, empreendedores, podemos até conseguir algumas conquistas – como, por exemplo, uma pequena premiação no setor ou na região em que atuamos, mas que estão distantes de chegarem perto dos resultados realmente almejados.

Mesmo que você tenha conseguido montar uma equipe de sucesso e, assim, esteja finalmente faturando mais, com um ótimo lucro no caixa e, por isso, acreditando que sua empresa chegará a um patamar mais elevado, você não deve interromper o processo de crescimento – para isso, é preciso manter a disciplina de seu time, de modo que você o ajude a não perder o ritmo finalmente alcançado. Nesse sentido, sua empresa deve fornecer treinamentos e rituais que abasteçam as equipes com as informações que lhes sejam necessárias para continuarem ajudando seu negócio a crescer e deve, também, efetivar canais de comunicação internos eficazes entre as equipes.

Vejamos como fazer isso na prática.

Chamando pessoas sensacionais para sua equipe

1» Construindo confiança

Certamente, você quer trazer para seu time pessoas que sejam sinceras, honestas e que confiem em você. Para isso, é necessário que essa confiança e transparência partam justamente de você mesmo. Sendo assim, sua primeira mensagem para o candidato deve ser o anúncio da oportunidade de fazer parte de sua equipe. A descrição da vaga deve ser muito clara, sem deixar qualquer margem para dúvidas, com todas as informações que qualquer pessoa gostaria de saber – dentre elas, por exemplo, o salário.

Isso já filtrará aqueles candidatos que não estão de acordo com a remuneração e economizará o seu tempo e o deles. Além disso, você transmitirá a mensagem principal: a transparência. Não se preocupe com o fato de seu concorrente tomar conhecimento dos salários oferecidos por sua empresa. Se a concorrência realmente quiser essa informação, basta que alguém de lá se candidate para a vaga; sem contar que, hoje, os salários são difundidos em sites como "vagas.com" ou "glassdoor.com.br".

2» ENTREVISTANDO OS CANDIDATOS

Agora que você anunciou sua vaga e a divulgou em diversas plataformas, não deixe de fazer menos do que seis entrevistas por dia por, no mínimo, uma semana. Exatamente! Você precisará entrevistar ao menos vinte e cinco pessoas para um cargo – grave bem esse número. É preciso conversar com muitas pessoas mesmo, porque, ao entrevistar uma amostra grande de candidatos, você sentirá mais confiança em escolher aquele profissional único, especial. Isso elevará o grau de confiança que você deposita nele, pois, dentre os muitos entrevistados, ele foi o escolhido.

3» O PROCESSO SELETIVO

Seu processo seletivo deverá ter ao menos duas etapas. A primeira é destinada a você conhecer a pessoa que está se candidatando para a vaga, bem como a explicar para ela todos os detalhes da posição, de modo que ela se sinta segura em prosseguir para a próxima fase, convicta de que quer mesmo fazer parte de sua equipe.

Na segunda fase do processo seletivo, há duas possibilidades: trazer alguém de seu time para também conversar com o candidato; se ele for escolhido, provavelmente trabalhará com outras pessoas da equipe, e é importante que elas o acolham muito bem. Se isso não acontecer, o candidato se sentirá automaticamente deslocado em relação ao *staff*. A segunda possibilidade é trazer mais de uma pessoa do time para essa conversa com os candidatos, e fazê-las escolher os melhores, de modo que a própria equipe se sinta responsável por acolher e apoiar o(s) novo(s) membro(s).

Agora que você está com excelentes profissionais no seu time, precisará treiná-los e manter a disciplina de rituais. Esse tópico, porém, será abordado em meu próximo livro.

EXPERIÊNCIA PRÁTICA COM A APLICAÇÃO DO MÉTODO

Já comprovei diversas vezes a eficácia de se investir na equipe. Mas há uma história muito especial para mim que comprova o sucesso da metodologia que expus. Vou relatá-la agora.

Certa vez, conheci um microempreendedor do ramo de seguros que amava seu trabalho. Ele tinha um pequeno negócio, com dois ou três colaboradores, e trabalhava incansavelmente todos os dias, inclusive em boa parte dos finais de semana, abdicando de seu tempo com a esposa e o filho. Infelizmente, como a maioria dos pequenos empreendedores, ele não tinha o sucesso financeiro almejado para lhe proporcionar o conforto que buscava.

Então, expliquei para ele que era possível prosperar, aplicando os métodos que descrevo neste capítulo e que, juntos, poderíamos fazer algo grandioso acontecer. Ele ficou um pouco descrente de que isso seria possível, principalmente porque já havia tentado várias outras abordagens nos anos anteriores e nada havia funcionado com grande êxito. Mesmo assim, ele aceitou o desafio.

Por diversas semanas, fizemos reuniões, planejamos o futuro do empreendimento e, nos meses seguintes, adquirimos e instituímos várias ferramentas. Além disso, adotamos a mentalidade de acreditar que, com uma equipe de sucesso, poderíamos fazer ainda muito mais. Mesmo que isso custasse perder temporariamente o controle da qualidade do produto, tínhamos a certeza de que esse time faria, em um prazo razoável, um trabalho muito melhor do aquele que esse empreendedor desempenhava tão arduamente. Além de crer que ele precisava de uma equipe de sucesso para prosperar, também melhoramos os canais de comunicação com todos na empresa e instituímos rituais de *feedback*, comemorações e treinamentos, mantendo o time motivado e engajado.

Hoje, esse empreendedor é um dos mais influentes empreendedores de seu setor no Brasil e emprega uma centena de colaboradores. Testemunhando e participando dessa incrível transformação, passei a acreditar que o mesmo impacto seria possível de ser atingido para todo e qualquer empreendedor atuante no território nacional. Principalmente aqueles que, em algum momento, acreditaram que jamais conseguiriam ter sucesso, ou que pensaram que empreender em nosso país é impossível. Como eu disse, tenho grande apreço por essa história e conheço muito bem esse empreendedor: ele é meu pai.

Esse é um caso de sucesso que acompanhei de perto e que fortaleceu minha crença de que é possível sermos protagonistas do nosso destino. Sem sombra de dúvidas, você já deu o primeiro passo em direção ao seu sucesso. Você acreditou em si mesmo e criou seu próprio negócio. Agora, poderá ir muito além e, para isso, será necessário contar com uma equipe motivada e disciplinada nas rotinas e na comunicação interna da empresa.

A equipe de sucesso deve ser composta por pessoas nas quais você confia e que possam ajudá-lo a melhorar as atividades que estão travando o crescimento da sua empresa. O sucesso de tais atividades dependem de você delegar e confiar, de modo a ser capaz de investir seu tempo no futuro estratégico de seu negócio. A disciplina deverá estar enraizada no dia a dia da firma, de maneira que, quando você menos esperar, toda a sua equipe estará executando as atividades sem necessidade de cobrança.

Acredito que a disciplina empresarial não se dá da mesma forma que a disciplina pessoal, que muitos defendem acontecer em vinte e um dias. A disciplina empresarial se dá em noventa e dois dias. Siga, portanto, firme nas rotinas por ao menos noventa e dois dias. É importante, igualmente, revisá-las e

Delegar para crescer

monitorá-las. Se estiverem trazendo melhores resultados, renove-as por mais noventa e dois dias. Por que 92? Considerando que as empresas trabalham com resultados trimestrais, ou seja, 90 dias, adicionei mais um dia para o planejamento e outro para a apresentação de resultados. Logo, mantendo a disciplina para apresentar um resultado trimestral e este sendo positivo, pronto, basta repetir. Não tem segredo!

Tenho certeza de que, com um time vencedor e a disciplina renovada, seu empreendimento prosperará e trará o resultado esperado. Acima de tudo, trará tempo para você focar naquilo que você mais deseja.

VOCÊ, ENQUANTO EMPREENDEDOR, É RESPONSÁVEL TANTO PELO PRÓPRIO CRESCIMENTO, QUANTO PELO DE SUA EMPRESA. CRESCER É DELEGAR, E DELEGAR É CONFIAR. PARA CONFIAR, É NECESSÁRIO CONVIVER COM PESSOAS CUJO FOCO, ASSIM COMO O SEU, ESTEJA EM CONSTRUIR UM TIME DE SUCESSO.

Marco Castro

Economista, psicoterapeuta e professor universitário. Especialista em neurovendas aplicadas aos negócios. Gestor de vendas, com experiência de quarenta anos em relacionamento com clientes. Mestre em Gestão de Negócios, com linha de pesquisa em Marketing. Pós-graduado em Gestão da Qualidade e Engenharia Econômica.
Instagram: @palestrante.marcocastro

Teófilo Negrão

A REVOLUÇÃO DAS NEUROVENDAS

Embora seja uma atividade presente em todos os setores da economia, vender não é uma atividade fácil. Os vendedores se mantêm focados em cumprir as metas e em ganhar sua comissão, e os clientes em se protegerem para não saírem comprando produtos de que não precisam naquele momento, ou que não atendam às suas necessidades de uma forma geral.

Notei, em meus 30 anos de atuação nessa área, que, nessa queda de braço, o vendedor parece se sentir em desvantagem, porque está na posição de sempre precisar conseguir novos clientes. Contudo, ele não sabe como fazer isso. Embora tenha consciência de que não foi bem preparado, vai em busca de novas vendas – tanto para garantir que a empresa continue aberta e, assim, que ele não perca seu emprego; como para incrementar seu salário por meio de comissões. Inserido nessa dinâmica, o profissional de vendas começa todos os meses repetindo esse ciclo de retroalimentação. Quando o final do mês vai se aproximando, ele se sente obrigado a vender mais barato, porque a melhor saída que ele encontra para, ao menos, garantir alguma comissão, é dar os descontos pedidos pelo cliente – o que diminui a lucratividade da empresa.

Tudo isso acaba resultando em um mau atendimento, e existem alguns motivos que colaboram para que tal situação aconteça, fazendo com que as empresas acabem perdendo grandes negócios. Há dois motivos que constatei serem os principais em território nacional, especialmente entre vendedores varejistas e de produtos industriais. Destaco-os, aqui:

1. A profissão de vendedor não é valorizada em muitas companhias. Por conta disso, os profissionais não são preparados para atuarem e obter sucesso em suas vendas.

2. Pelo fato de terem um bom relacionamento com pessoas, de uma forma geral, muitos profissionais se julgam vendedores natos. Assim, não se preparam para entender os clientes e, mais problematicamente ainda, não investem tempo para conhecer com profundidade os produtos oferecidos por suas empresas (e nem para conhecer a imagem que as empresas que eles representam desejam transmitir).

Falando sobre o segundo motivo: se o vendedor não conhece profundamente o produto – e, principalmente, não acredita em sua qualidade e eficácia –, não será possível criar verdadeira conexão com o cliente. Em outras palavras: o vendedor não vai conseguir mostrar para o consumidor que os benefícios do produto em questão podem solucionar os problemas apresentados por ele no momento da compra, e é nisso que o vendedor acaba não concretizando uma potencial venda.

Por experiência própria, posso dizer que conheço bem esse quadro. Eu era um vendedor comum, que me garantia pela qualidade do produto que eu vendia, pelo tamanho da empresa que eu representava e por variáveis que, aparentemente, me possibilitavam fazer boas negociações. No entanto, o que os clientes desejavam, verdadeiramente, era o atendimento de suas necessidades – e, nesse aspecto, e eu dificilmente lhes dava retornos positivos.

Garantir meu comissionamento e meu cumprimento das cotas era, no fundo, meu principal objetivo – para além disso, resumia a maneira como eu via as vendas dos produtos. Muitas vezes, essa mentalidade me levou, por exemplo, a prometer a clientes peças de estoque que sequer tinham sido produzidas – o que fazia muitos deles terem de esperar até que a negociação fosse concretizada. Pior ainda: tinham que aguardar para receber os produtos que já tinham adquirido. Em muitos casos, os prazos não eram respeitados e, em decorrência disso, até os preços tinham que ser alterados. Eu via meus clientes insatisfeitos, preocupados com seus negócios, cujo funcionamento dependia do meu produto.

Contudo, com a chegada da Era da Informação, com produtos cada vez mais competitivos e segmentados, o mercado ficou mais globalizado, também incorporando essa competitividade e essa segmentação. Segundo reportagem divulgada pelo portal Exame, em 2016, grandes empresas do mundo todo vêm desenvolvendo um olhar mais atento acerca do mal atendimento ao cliente. De acordo com essas informações, o prejuízo com clientes insatisfeitos foi de cerca de 271 bilhões de dólares. Em 2020, um artigo publicado pela Zendesk revela que, conforme o relatório "Quantificação do Impacto Comercial do Atendimento ao Cliente no Brasil", em parceria com a Dimensional Research, 98% dos clientes mudam seu comportamento de compra e compartilham suas experiências ruins com outras pessoas. Sendo assim, um cliente mal atendido, que não recebe pelo que negociou, influencia negativamente pelo menos mais 9 clientes potenciais, que, possivelmente, não procurarão negócios com as empresas envolvidas no mal atendimento.

Posto tudo isso, esse novo mercado exige profissionais de vendas qualificados: um novo perfil de vendedor mais preparado, pronto para entender o cérebro dos clientes e, assim, agir com assertividade e competência.

Ao vivenciar todos os desafios de um vendedor comum e sem conseguir os resultados esperados, percebi que precisava me preparar melhor para encontrar estratégias que não focassem apenas em vender produtos. Foi na busca dessas mudanças que descobri a metodologia das Neurovendas: misturando marketing e neurociência, ela é uma arma poderosa para vender de forma realmente efetiva.

Esses excelentes resultados ocorrem porque vendedores que se preparam para as Neurovendas passam a entender o cérebro de seus clientes (o que será detalhado mais adiante). Assim, identificam como solucionar as dores deles e descobrem a solução ideal que podem entregar por meio de seus produtos, fazendo-o com visão de futuro e de maneira eficaz.

Passei a seguir as etapas dessa metodologia e a conquistar grandes resultados pessoais, profissionais e financeiros – enfim, obtive o sucesso que eu tanto almejava. Além disso, por meio do uso dessa ferramenta, que me permitiu, conforme explicado, entender o funcionamento cerebral dos meus clientes no momento da compra, nunca mais precisei ficar preocupado em bater metas; as vendas passaram a acontecer sem eu sequer perceber que estava vendendo.

Assim, visando conhecer as áreas do cérebro nas quais o cliente transforma necessidade em desejo e toma a decisão de compra, desenvolvi uma metodologia própria de Neurovendas, com etapas que estudam o funcionamento do cérebro do cliente e permitem que os vendedores alcancem alta performance em seus trabalhos. Vou apresentar essa metodologia a você, agora.

AS TRÊS ÁREAS DO CÉREBRO ENVOLVIDAS NA DECISÃO DE COMPRA POR PARTE DOS CLIENTES

O ser humano é consumista por natureza – tanto a pessoa comum, como o comprador encarregado de adquirir um produto industrial. Já os negociadores que são movidos pelas ferramentas de Neurovendas penetram nas áreas do cérebro do cliente, mostrando os benefícios que o produto que ele está apresentando poderá trazer para atender determinada necessidade desse consumidor. O caminho para realizar a neurovenda passa, portanto, pelo entendimento dessas áreas do cérebro do cliente (divididas em três pilares, explicados a seguir) – esse é o caminho para alcançar uma boa negociação e, provavelmente, a concretização de um maior número de vendas.

O **primeiro pilar** está no Sistema 1, estabelecido pela Neurociência. Trata-se do tronco encefálico/cérebro reptiliano, responsável, dentre outras respostas, pelo instinto de compra do ser humano. Nessa região do cérebro, por meio dos sentidos, o cliente identifica e percebe todo o esforço de marketing empreendido naquele produto e, assim, tem mais chances de querer consumi-lo. É também essa área cerebral que rege as compras feitas por impulso: ela dispara o sentimento de "eu quero!".

O **segundo pilar** também se encontra no Sistema 1. Mas, dessa vez, no sistema límbico, a área do cérebro que define as emoções no momento da compra. As emoções – inclusive aquelas ligadas à decisão de compra – são fundamentais em uma negociação e transmitem os motivos pelos quais o consumidor quer adquirir algo.

O **terceiro pilar** está no Sistema 2, no neocórtex, região responsável pelas decisões racionais do cliente no ato da compra. É exatamente nesse campo

A revolução das neurovendas

que o consumidor inicia o processo de fuga da negociação: começa a negociar preços, prazos de pagamento, entrega, entre outras variáveis que o deixam mais perto de dizer "não". Caso o racional seja mais forte do que o emocional, e o comprador não esteja precisando do produto naquele momento, a compra só será concretizada quando a percepção dele passar a ser regida mais pelos benefícios do produto, do que pelo valor que ele custa.

Segundo informações que adquiri durante um curso de Neurovendas no Instituto Brasileiro de Neuromarketing (IBN), uma venda acontece em três segundos, quando o cérebro do cliente, ao sentir ou ver o produto, é estimulado a efetuar ou não a compra. Nesse momento, o cérebro dele começa a trabalhar nos três pilares acima descritos. O neurovendedor que entender em qual pilar o momento da compra está transitando terá uma maior possibilidade de apresentar soluções que irão transformar uma necessidade do cliente em desejo de adquirir o produto.

Case de sucesso por meio da aplicação de técnicas de Neurovendas

Conhecendo as áreas do cérebro, o neurovendedor aprende a entender como manejar as emoções ligadas à compra; as necessidades inconscientes que levam o cliente a desejar o produto; e a racionalidade envolvida na decisão final do consumidor de comprá-lo ou não. Desse modo, as técnicas de neurovendas possibilitam a criação de um mapa mental de vendas e fazem com que os vendedores faturem muito mais, viabilizando que realizem seus sonhos pessoais. Vejamos um exemplo.

Em um treinamento do meu curso Neurovendas, tive um aluno chamado Augusto (nome fictício), que trabalha em uma ótica na cidade de Sorocaba, no estado de São Paulo. Em um certo dia, Sr. Fernando (nome também fictício) entrou na ótica para comprar óculos de grau e foi atendido pelo neurovendedor preparado, meu aluno Augusto.

Ao receber a receita médica, Augusto identificou que, ali, existia um potencial de um bom negócio. Ele começou a mostrar ao Sr. Fernando as diversas opções de lentes, até que chegou a uma lente cujo preço era consideravelmente elevado. O neurovendedor explicou que, dada a qualidade oferecida por aquele produto, o cliente teria um campo ampliado de visão e, assim, seria capaz de ter momentos maravilhosos em sua vida, como contemplar um pôr do sol de forma realmente plena, ver uma montanha com belas árvores, ou vivenciar, com mais nitidez e, portanto, mais intensidade, experiências únicas – como o nascimento de um filho, de um neto, de um bisneto, dentre outras.

Augusto mostrou ao Sr. Fernando, por meio de exemplos concretos, vivências que seriam muito mais marcantes se feitas sob aquela lente mais cara. Depois de uma conversa esclarecedora sobre os benefícios desse produto e a qualidade inerente a ele, passou-se para a etapa de negociação do preço e da forma de pagamento, uma vez que o cérebro do cliente já havia comprado o produto, devido à inteligente explicação dada por Augusto. Ou seja, se as lentes fossem negociadas apenas pelo preço, como faria um vendedor desprovido dos conhecimentos das neurovendas, elas jamais seriam adquiridas por Sr. Fernando.

Assim, pode-se ver que um neurovendedor treinado tem mais resultados em suas vendas. Isso passa, conforme explicado, por identificar e por compreender as áreas do cérebro dos clientes envolvidas na compra, criando um mapa mental de vendas e, dessa forma, colocando em prática os pilares das neurovendas. E, por fim, transmitindo, de forma precisa, consistente e decisiva a mensagem do produto, de maneira a atender exatamente às necessidade do consumidor, fazendo-o ter uma visão de futuro – futuro esse em que o neurovendedor vai vender mais do que aqueles que são vendedores comuns.

Aprender técnicas farão toda a diferença em sua vida como vendedor, e o momento para essa mudança é agora. Quando o vendedor preparado olhar para o cliente, entender como ele está pensando e mostrar a ele como o produto poderá impactar forte e beneficamente em sua vida, ele estará vendendo sem perceber que está vendendo, como aconteceu comigo.

O neurovendedor terá a possibilidade de aplicar o que leu e aprendeu, criando metas assertivas, buscando melhorar seus rendimentos, realizar seus sonhos e se desenvolver emocional, pessoal e profissionalmente. Afinal, o vendedor de sucesso é aquele que se mantém financeiramente, que tem a oportunidade de adquirir suas ferramentas de trabalho: um bom carro, um bom *notebook*, um bom celular, uma casa própria e a possibilidade de estudar com os melhores mentores da área. Ter a oportunidade, enfim, de ajudar a manter a qualidade de vida de sua família e, assim, ter uma vida repleta de felicidade.

Então, vamos "neurovender"!

> **VENDEDORES QUE SE PREPARAM PARA AS NEUROVENDAS PASSAM A ENTENDER O CÉREBRO DE SEUS CLIENTES. ASSIM, IDENTIFICAM COMO SOLUCIONAR AS DORES DELES E DESCOBREM A SOLUÇÃO IDEAL QUE PODEM ENTREGAR POR MEIO DE SEUS PRODUTOS, FAZENDO-O COM VISÃO DE FUTURO E DE FORMA EFICAZ.**

Marcos Frazão

Contabilista, graduado em Marketing, especialista em Gestão de Empresas, empreendedor, associativista e investidor-anjo.

Instagram: @marcosffrazao
LinkedIn: /marcosffrazao
Twitter: @marcosffrazao
YouTube: Marcos Frazão

Mario Marcante

Ter propósito para ter sucesso

Em média, 20,78% das empresas criadas no Brasil não sobrevivem nem ao terceiro ano de sua fundação, de acordo com o Serviço Brasileiro de Apoio às Micro e Pequenas Empresas (SEBRAE), em "Sobrevivência das empresas das empresas mercantis brasileiras" divulgada em 2020, e acabam deixando seus proprietários endividados. Além disso, vivemos em um país onde há muita burocracia e lentidão por parte das autoridades quando o assunto é o empreendedorismo.

Em sua maioria – e, principalmente, no caso de pequenos e médios empreendimentos – as empresas são fundadas de maneira informal. Não há a elaboração de um plano adequado de negócio, nem de um planejamento estratégico; além disso, não é predominante a cultura de usar as ferramentas necessárias para que a importante etapa do início da atividade empresarial seja compatível com aquilo que se almeja conquistar.

É muito comum que os empreendimentos sejam fundados a partir da necessidade de sobrevivência de seus criadores (cerca de 48,9% dos empreendedores no Brasil, no ano de 2021) ou mesmo pelo sonho de eles serem donos do próprio negócio (terceiro maior sonho do brasileiro), segundo pesquisa Global Entrepreneurship Monitor (GEM) de 2021. A taxa de empreendedorismo por necessidade é composta por empreendedores nascentes, aqueles que pensam em abrir um negócio ou já o fizeram em até três meses, e pelos novos, que possuem um negócio entre três meses e 3,5 anos.

Lembro-me de um fato que ilustra bem essa realidade. Na época em que eu trabalhava com contabilidade, entrou, em minha sala, um cliente que queria abrir uma empresa – mais especificamente, uma loja de peças para motocicletas, na qual haveria também uma oficina. Para ajudá-lo, elaborei vários processos para que essa pessoa obtivesse sucesso na sua empresa. Mas o que me marcou foi o fato de ele me confessar que estava investindo todas as suas economias naquele empreendimento, pois seu sonho era se tornar dono do próprio negócio – um dos principais motivos que, conforme supracitado, levam uma pessoa, ainda que despreparada, a querer empreender. Ele me contou que já tinha definido um local para seu empreendimento, já que lá circulavam muitos motociclistas. Perguntei-lhe, então, se ele havia feito planos adequados para o tipo de negócio que ele desejava abrir e se tinha conhecimento sobre o funcionamento do mercado em que iria atuar. Esse cliente me respondeu que conhecia uma pessoa que já havia trabalhado em uma oficina e que, aparentemente, entendia do negócio. Esse indivíduo, por sua vez, indicou ao meu cliente quais peças ele deveria comprar. E isso era tudo. Assim, elaborei o processo de abertura da empresa – mas, um ano depois, soube que o negócio tinha quebrado.

Esse tipo de experiência sedimenta sentimentos e impressões desmotivadoras. Você sonha em mudar de vida por meio do empreendedorismo, mas, diante do quadro apresentado acima, vê isso como algo que será muito difícil, burocrático, lento e, assim, impossível de ser concretizado. Começa a achar que empreender é algo destinado a pessoas que já possuem uma condição de vida melhor que a sua. Então, parece que você está fadado a ficar para sempre onde nasceu e cresceu, sem conseguir melhorar sua situação ou se projetar minimamente, se vendo inapto a prosperar. Você se sente frustrado, desanimado, em um ciclo de fracassos e de pobreza. A sua frente, enxerga somente barreiras de impossibilidades. Ao ver seu sonho nunca ser concretizado, você é tomado pela sensação de incapacidade e justifica seus insucessos, culpando o sistema em que você está inserido. O sonho de mudar de vida vai se tornando cada vez mais distante; progressivamente, incertezas o dominam. São poucos os momentos em que você vivencia a felicidade e/ou a comemoração de resultados.

Além disso tudo, a citada realidade brasileira de lentidão e de excesso de burocracia desencoraja os mais jovens a empreenderem. Não há uma cultura educacional empreendedora, faltando estímulos e ambientes para que ela seja implementada. Ademais, não somos incentivados a enfrentar o impossível para torná-lo possível, muito menos a planejar nossos empreendimentos de acordo com objetivos claros e palpáveis. Por não conhecermos um método para definir nosso propósito, somos levados, a todo momento, a pensar em desistir.

Assim, o que, na verdade, leva ao fracasso das pessoas que querem empreender – e até o fazem, mas sem sucesso – é justamente a sua falta de propósito e de objetivos não planejados adequadamente de acordo com o negócio que elas já têm ou pretendem lançar. 61,2% dos empreendedores procuram por orientação durante a fase de abertura, de acordo com o Sebrae.

Isso tudo me motivou a estudar o desenvolvimento do comportamento humano e, munido desses conhecimentos, aprendi um conceito que utilizo não só com meus clientes, como também em meus próprios empreendimentos. O conceito que desenvolvo é o seguinte: é preciso perceber vantagem para que a vontade de realizar seja despertada.

Quando criança, eu já sonhava em empreender. Aos doze anos, procurava formas, ainda que pequenas, para conquistar minha independência financeira. Um exemplo disso foi quando, em um Dia de Finados, percebi uma oportunidade, mesmo que passageira, de exercer minha vontade de empreender: fui vender velas na frente do cemitério da minha cidade, bem pequena, no interior da Paraíba, em uma região conhecida pelo nome de Cariri. Essa experiência me marcou: achei incrível lidar com as pessoas que vinham comprar as velas que eu estava vendendo e a sensação de que eu era, sim, capaz de ganhar meu próprio dinheiro.

Foi a partir dessa vivência que fui percebendo que eu sonhava grande e que, para conquistar meus objetivos, precisava deixar o local em que nasci e cresci para morar em uma cidade maior. Consegui comprar uma passagem para São Paulo e, com quatorze anos, me mudei para a capital paulista. Ir embora de minha cidade também envolveu aspectos significativos, como ver minha mãe aos prantos, ao olhar pela janela do ônibus. Minha tia, muito gentilmente, me deu uma lata, com frango e farinha, para que eu comesse aquela refeição durante minha viagem.

Muitas pessoas me ajudaram nessa jornada, em especial uma, que me deu de presente o livro *Sem Medo de Vencer* (Gente, 2015), do psiquiatra Roberto Shinyashiki. Essa obra me ajudou a definir o propósito de minha vida, que eu resumo assim: empreender e transformar vidas, além de sonhar, planejar e criar um passo a passo realista para alcançar meus objetivos, tendo força de vontade, persistência e resiliência para, enfim, conquistar o sucesso que eu almejo.

Nesse sentido, percebi, ao longo de minha jornada, que definir meu propósito foi a grande virada para mudar minha vida. Quando adotei o hábito de definir um propósito para tudo que fazia, encontrei algo maior, que dá sentido à minha existência como ser humano. Assim, como expliquei, transformar vidas por meio do empreendedorismo se tornou minha maior missão.

Conforme detalhado, ainda que de forma primária, desde muito cedo coloquei propósitos em minha vida. Firmei, em minha mente e no meu coração, o tipo de empreendedor que eu desejava me tornar. Para me transformar nesse profissional, implantei regras e desenvolvi disciplina e foco. Aprendi a dizer não para o que me desviava da caminhada que eu estava traçando rumo à realização de meus sonhos. Por fim, entendi que meu comportamento seria, no futuro, minha grande vantagem – isso despertou minha vontade de realizar. E senti na pele o sucesso da aplicação do conceito que desenvolvi: é preciso perceber vantagem para que a vontade de realizar seja despertada.

Levando em conta todo esse panorama apresentado, faço uso de uma fórmula chamada de P2V, criada por mim, cuja definição é aplicar propósito, vantagem e vontade, ou seja, ao desvendarmos nosso propósito, enxergamos vantagens e, assim, despertamos nossa vontade de destinar os esforços que forem necessários para atingir nossos desejos. Resumindo: como já referenciado, só fazemos alguma coisa quando percebemos vantagem nela. É a vantagem que motiva nossa vontade – e ninguém realiza nada sem que a vontade se torne o maior combustível para que atitudes positivas e decisivas sejam tomadas.

O método que emprego funciona da seguinte forma: ajudamos o empreendedor a definir seu propósito e, então, elaboramos o plano de negócio e o planejamento estratégico da empresa. Estabelecemos o foco na identificação da vantagem que meu cliente quer obter – o que refletirá em um maior diferencial de seu empreendimento no mercado. Assim, auxiliamos no desenvolvimento de produtos e serviços que tenham propósito e vantagem, e, dessa maneira, despertamos a vontade do cliente de colocar seus objetivos em prática.

Tenho consciência de que, sozinhos, não chegamos ao topo. Para construir o futuro que desejamos é necessário que outras pessoas compartilhem dos nossos sonhos. Pela minha experiência, posso afirmar que só se alcança o auge se estivermos, na empresa, cercados de pessoas conectadas aos propósitos do empreendimento e que creiam igualmente na possibilidade de realização dos objetivos dele. Assim, é preciso se conscientizar de que o verdadeiro sucesso é sempre compartilhado!

A cada novo empreendimento cujo desenvolvimento eu ajudo a fazer, vejo pessoas tendo suas vidas transformadas por meio da prática diária da fórmula P2V. O poder de construir o futuro que desejamos está dentro de cada um de nós. Com a adoção dos hábitos corretos, o impossível se torna possível. Basta sonhar, planejar, criar um passo a passo realista para alcançar seus objetivos – e ter força de vontade, persistência e resiliência para conquistar o sucesso.

CASE PESSOAL

Testei esse método quando enfrentei um grande desafio, minha maior travessia: iniciar um novo empreendimento, elaborar uma pesquisa de mercado compatível com ele, fazer visitas a potenciais futuros clientes e identificar o propósito da atividade. Essa situação se mostrou uma oportunidade ideal para aplicar a fórmula P2V, além de outras ferramentas de gestão já citadas neste capítulo, como plano de negócio e planejamento estratégico.

Lembro da pessoa que viria a ser meu futuro sócio me abordando com uma proposta: "Tenho um novo negócio que quero iniciar. Vamos fazer isso juntos?". Conversamos sobre os valores de investimento, que eram expressivos. Precisaríamos de números maiores de sócios e de recursos financeiros. Procuramos pessoas com os mesmos propósitos que os nossos, elaboramos o plano de negócio e fizemos pesquisas para entender o mercado no qual queríamos atuar. Passamos seis meses para concluirmos a primeira etapa do planejamento e conseguirmos os recursos financeiros necessários por meio de instituições pecuniárias. Após esse período, iniciamos a segunda etapa: a construção de uma grande empresa, uma das maiores da cidade onde ela foi instalada. O sonho estava se concretizando.

O terceiro e mais importante passo era selecionar as pessoas que compartilhariam do nosso propósito maior; essa etapa foi iniciada antes de finalizarmos a segunda fase. Nossa grande vantagem foi saber que empresa boa é feita de gente boa – frase que se tornou nosso lema. Juntamente de profissionais com esse perfil, despertamos a vontade de realizar a construção de uma empresa que proporcionaria um ambiente de crescimento e prosperidade, por meio de empreendedorismo e trabalho. Tornamos nossa companhia uma das melhores para se trabalhar no Brasil e conquistamos, em 2021, a terceira colocação no ranking de melhores empresas no estado do Paraná. Cercados de profissionais conectados ao nosso propósito e imbuídos de seus próprios propósitos, geramos oportunidades para que eles construíssem o futuro que desejavam. Em decorrência de tudo isso, nossa empresa foi certificada por uma entidade reconhecida mundialmente, a Great Place to Work (GPTW).

Aprendi, nesse caminho, que empreender é para todos. Desde que se tenha perseverança, resiliência e planejamento, o que parecia impossível se torna plenamente possível. Definir seu propósito de vida é colocar ao seu alcance a chave que abre o portal para sua prosperidade. Basta proporcionar uma vantagem competitiva e, assim, despertar a vontade que existe em você. Em nossas vidas, recebemos aquilo que entregamos ao mundo. Por isso, gere progresso para as pessoas e receba, de volta, seu sucesso.

Resumindo, se eu pudesse dar um conselho para todos os empreendedores ou aqueles que querem empreender, ele seria: não desista de seus sonhos. A vida que você deseja pode ser seu maior propósito: basta perceber qual a vantagem pode despertar a vontade que levará você aos lugares em que se sentirá em casa: tanto sua empresa, como seu lar. Assim, você vai ver que o impossível só existe até você, por meio de todo o processo descrito neste capítulo, torná-lo possível.

EMPREENDER E TRANSFORMAR VIDAS PODE SER FÁCIL. BASTA SONHAR, PLANEJAR, CRIAR UM PASSO A PASSO REALISTA PARA ALCANÇAR SEUS OBJETIVOS – E TER FORÇA DE VONTADE, PERSISTÊNCIA E RESILIÊNCIA PARA CONQUISTAR O SUCESSO. ASSIM, DEFINIR SEU PROPÓSITO DE VIDA É COLOCAR AO SEU ALCANCE A CHAVE QUE ABRE O PORTAL PARA SUA PROSPERIDADE.

MARCOS FREITAS MENDES

Empresário e autor best-seller. Começou sua jornada como estoquista e foi diretor comercial de grandes empresas, até fundar a Seja Alta Performance, a maior aceleradora de negócios do Brasil.
Instagram: @marcosfreitas

Lucas Cassiel

A MUDANÇA DA SUA EMPRESA COMEÇA POR VOCÊ

Muitos empreendedores enfrentam certos problemas que os impedem de construir o futuro que desejam. Nos meus três eventos presenciais e *on-line* mais recentes, realizei um levantamento para entender quais são as dores e os problemas que o empresário vive. A seguir, listo o que 90% dos entrevistados trouxe como as principais causas. Essas pessoas:

- não sabem construir uma empresa de sucesso;
- têm problemas relacionados à gestão de pessoas;
- não têm tempo;
- não conseguem equilibrar a vida profissional com a vida pessoal;
- não têm estratégias claras para aumentar as vendas;
- são centralizadoras;
- não confiam em outras pessoas;
- não conseguem se diferenciar da concorrência;
- trabalham de forma amadora;
- não têm planejamento claro;
- não conseguem lucrar como esperam;
- são desorganizadas financeiramente;
- não possuem habilidades de gestão;
- não têm metas claras.

Tais problemas emperram o progresso dos empreendedores e lhes trazem sentimentos e sensações que os aprisionam ainda mais nos padrões dos quais buscam se libertar. Alguns desses sentimentos e sensações são:

- solidão (sentem-se sozinhos nas tomadas de decisões);
- culpa por decisões passadas;
- pressão por resultados;
- sentimento de estarem sendo traídos pelo próprio time;
- inveja dos resultados dos concorrentes;
- vontade de crescer;
- ansiedade para ver o resultado acontecer;
- saudades da família;

- sentimento de que a vida está passando;

- sensação de que não estão saindo do lugar;

- medo de errar.

E por que essas pessoas, então, não conseguem fazer a virada que tanto almejam? Há uma série de implicações para que isso aconteça. Veja em quantas delas você se enquadra:

- estão presas a práticas antigas;

- estão na zona de conforto;

- têm medo da mudança;

- não acreditam na mudança;

- não sentem que são capazes de fazer essa virada sozinhas;

- já tentaram mudar e não conseguiram;

- não têm um método;

- não confiam nos outros;

- não têm (ainda) o conhecimento necessário.

Muitos empresários acreditam que um novo presidente ou funcionário irá revolucionar seu negócio. Depois de ajudar cerca de quinze mil empresas, de diversos segmentos e portes, eu observei que, enquanto alguns procuram justificativas para seus insucessos, responsabilizando fatores externos, outros olham para dentro e mudam suas realidades. Ou seja: antes de qualquer coisa, é necessário dizer que a mudança da sua empresa começa por você.

Para confirmar isso, responda as questões a seguir:

- Quem escolheu sua empresa?

- Quem contratou seu time?

- Quem desenvolveu seus fornecedores?

Se as respostas para essas perguntas forem "eu", é sinal de que cabe justamente a você transformar sua realidade para concretizar os objetivos que você deseja.

Para reforçar essa ideia, é interessante refletir, por exemplo, sobre o motivo pelo qual empresas do mesmo porte, do mesmo segmento e localizadas na mesma cidade têm resultados completamente diferentes. Isso passa pela visão, atitude e conhecimento – ou pela ausência deles – dos proprietários de cada uma delas.

Voltando para o contexto da sua empresa: quando você assumir verdadeiramente o protagonismo dela, estará pronto para mudá-la de forma surpreendente.

Agora que você entendeu e assumiu que a mudança da sua empresa começa por você mesmo, vamos criar o passo a passo da mudança. Para tanto, gostaria de convidá-lo a pensar como se tivesse começado agora, do **zero** – mesmo que você já tenha a sua empresa. Então, vamos juntos reconstruir nossos negócios a partir do zero.

O primeiro passo é parar **imediatamente** de fazer coisas que estão atrasando o seu crescimento – em outras palavras, parar de insistir em ações que não funcionam. Mas o que isso quer dizer, na prática?

Vejamos:

- Insistir em manter uma sociedade desalinhada.

- Continuar com equipes improdutivas.

- Perseverar na má gestão financeira.

- Obstinar-se em manter uma equipe comercial inativa.

A partir de agora, é como se você batesse na mesa e dissesse "Chega!".

Então, liste abaixo as cinco coisas que você precisa interromper imediatamente e que, a partir de hoje, não aceita mais.

1. _____
2. _____
3. _____
4. _____
5. _____

Antes de irmos para o segundo passo, gostaria de lhe perguntar: o que você quer para a sua empresa no futuro? Responda abaixo:

_____

E, em seguida, escreva: para onde você quer levar a sua empresa?

_____

Vejamos, agora, as coisas **novas** que **precisamos** criar. Afinal, novas práticas trazem novos resultados. Por exemplo:

A mudança da sua empresa começa por você

- Novas metas de vendas.
- Novos colaboradores para compor seu time.
- Novos diferenciais em comparação aos seus concorrentes.
- Uma nova cultura, focada em onde a sua empresa quer chegar.

Liste cinco ações que, na sua visão, levarão a sua empresa a obter novos resultados.

1. _____
2. _____
3. _____
4. _____
5. _____

Após responder a essas perguntas, é fundamental que você as compartilhe com as pessoas do seu time – afinal, é impossível mudar tudo sozinho. Ao dividir a responsabilidade com elas, o **peso**, ou pelo menos parte dele, é retirado das suas costas. Defina prêmios para a sua equipe, de acordo com a obtenção de resultados gerais da empresa. Assim, você ganha pessoas alinhadas com os objetivos do seu negócio.

Vou dar um exemplo de como essa metodologia funciona na prática.

Recentemente, uma companhia de provedor de internet nos procurou para ajudar na aceleração e potencialização da empresa. Fizemos uma lista de **tudo** que estava errado ou incomodando. Na época, as "dores" eram: baixo engajamento da equipe; gestores sem capacidade técnica e comportamental; faturamento abaixo do esperado e alto investimento em infraestrutura sem o retorno esperado.

O primeiro passo, conforme descrito acima, é como uma consulta médica. Antes de receitar algo, o médico faz um diagnóstico. Foi o que fizemos no caso dessa companhia. Após a elaboração desse diagnóstico, fomos entender o que esses empresários queriam para o futuro; descobrimos que o objetivo era profissionalizar o negócio e dobrar o rendimento dele. Obviamente, seria impossível atender a essas expectativas se a empresa mantivesse todas as dores mencionadas.

Assim, mapeamos os gestores, fizemos as devidas substituições, promovemos uma reunião geral e comunicamos as mudanças que seriam feitas, convidando para ficarem na empresa apenas aqueles que quisessem se comprometer com as novas metas traçadas. Além disso, criamos canais de vendas que antes não existiam, sendo o canal corporativo o mais expressivo deles.

Perceba que utilizamos os mesmos passos que orientei você a usar: mapear problemas, definir onde você quer chegar e, a partir daí, criar as ações que o levarão para um patamar mais elevado. São planejamentos e práticas totalmente possíveis de serem realizados, por qualquer organização.

Agora, sabendo que você é o responsável pela mudança da sua empresa e que existem metodologias que podem ajudá-lo, tome **coragem** para sair do ponto em que está e, assim, criar a empresa que você sempre sonhou.

Lembre-se de que as nossas empresas devem se tornar um meio para chegarmos aos nossos objetivos, e não que elas devem **tomar as nossas vidas**. Se existem empresas conseguindo isso, é um sinal claro e comprovado de que a sua também pode.

Assim, mudar a sua empresa e ter uma equipe que se orgulhe dela é uma decisão **única** e **exclusivamente** sua.

Tenho certeza de que, dentro de você, existe uma pessoa extremamente corajosa, batalhadora, que merece ter uma empresa melhor. E o primeiro grande passo para ter essa empresa melhor é assumir o papel de protagonista dessa mudança.

Para encerrar, quero dizer o que penso sobre você: você é um **herói**, um vencedor — mas não precisa lutar sozinho.

Força, empresário!
Força, empresária!

> **TENHO CERTEZA DE QUE, DENTRO DE VOCÊ, EXISTE UMA PESSOA EXTREMAMENTE CORAJOSA, BATALHADORA, QUE MERECE TER UMA EMPRESA MELHOR.**
> **E O PRIMEIRO GRANDE PASSO PARA TER ESSA EMPRESA MELHOR É ASSUMIR O PAPEL DE PROTAGONISTA DESSA MUDANÇA.**

Marin BeBold

Formado em Tecnologia da Informação, empresário e investidor nos setores de tecnologia, *fintech* e educação. Investidor-anjo, mentor e conselheiro de empresas com forte atuação no setor de tecnologia, inovação e transformação digital. Coinvestidor na BossaNova Investimentos. Coinvestidor e mentor na WOW Aceleradora e na Health+. Evangelista e conselheiro em inovação e transformação digital, nos temas de *customer experience*, *data science*, *fintechs* e *corporate ventures*. *Master coach* pela Sociedade Brasileira de Coaching e método CIS (Febracis). Formado em Tecnologia da Informação e Processamento de Dados pela FARSP, especialização em gestão empresarial e MBA em *Marketing*, pela Fundação Getulio Vargas. Especialista em Fusões e Aquisições, pelo Insper. Especialista em DataScience e User Experience (UX), pela DigitalHouse. Especialista em RoadMap e Inovação Tecnológica, pelo MIT (Massachusetts Institute of Technology).

Instagram: @marinbebold
LinkedIn: Marin BeBold

Jo Capusso

BeBold! – A atitude para assumir seu destino em um mercado disruptivo

A tecnologia está tão imersa em nosso cotidiano que nós nem sequer paramos mais para pensar em o quanto nossa vida se transformou ao longo dos últimos anos no tocante à forma como nos relacionamos, consumimos informação, trabalhamos e aproveitamos horas de lazer com amigos, sozinhos ou com nossos familiares.

Experimente fazer esse exercício: quantas vezes, por exemplo, você checou seu *smartphone* hoje para ler notícias, ouvir músicas ou um novo *podcast*, interagir nas redes sociais, verificar *e-mails* do trabalho, acessar um aplicativo de gerenciamento de tarefas, fazer uma transação em sua conta bancária, relaxar com algum *game*, marcar uma consulta, melhorar a qualidade de sua dieta, realizar uma atividade física ou reforçar um novo *skill* ou idioma?

Basta dedicarmos alguns minutos a essa simples reflexão para percebermos o fato de que nosso dia a dia – e, em última instância, a própria forma como organizamos nossas existências em sociedade – depende, em grande parte, de uma rede interconectada de dispositivos inteligentes que, ao mesmo tempo em que criam soluções até pouco tempo inimagináveis para as nossas mais diversas atividades cotidianas, geram também novas demandas para um ser humano mais exigente, criterioso e imerso em uma realidade plenamente digitalizada.

E novas demandas são sinônimos de novas oportunidades que, por sua vez, abrem espaço para novos negócios e novos perfis de empreendedores ágeis, prontos para transformar uma ideia disruptiva no mais novo unicórnio que ditará as tendências de um segmento no Brasil e – por que não? – no mundo.

Tudo está mudando. E você, também!

No contexto do mercado atual, milhares de executivos e lideranças se sentem presos em estruturas corporativas tradicionais que não favorecem o fortalecimento de uma mentalidade inovadora. São profissionais maduros, demasiadamente capacitados, que possuem carreiras sólidas e que gostariam, por exemplo, de se lançar em novos projetos ou de empreender, mas percebem que, neste novo mundo, o que antigamente era considerado garantia de segurança e solidez no trabalho deixou de existir. Há, na mesma medida, empreendedores que precisam de habilidades executivas para fazerem suas empresas crescerem. Em contrapartida a isso, o mesmo mercado vê, a todo momento, o surgimento de negócios disruptivos, conduzidos por profissionais jovens oriundos de uma cultura digital nativa.

Considerando esse panorama, é normal se perguntar: como abrir novos caminhos para se diferenciar nesse ambiente de negócios em pleno processo de transformação? Como adotar a atitude e a ousadia necessárias para inovar?

Como ampliar os *skills* e usar a tecnologia em favor do crescimento profissional e pessoal? Como saber a hora certa de dar um passo em prol de mudanças na carreira – seja para abraçar novos projetos na ocupação atual, ou mesmo para empreender?

Há diversos autores escrevendo sobre como ser um empreendedor. Contudo, existe um oceano de distância entre ser um autor e, de fato, guiar a migração de uma vida executiva para a atividade empreendedora. Esse quadro pode ser visto como uma condição paradoxal, já que a força do empreendedor é criar negócios gigantes, os quais, por sua vez, precisarão de executivos para serem geridos – caso contrário, irão morrer do decorrer da jornada. Cabe citar também o caso do intraempreendedorismo – empresas que precisam se desmontar e desconstruir os velhos modelos de gestão hierárquica, demasiadamente verticalizada. Normalmente, nessas situações, destaca-se o profissional que é empreendedor dentro da própria companhia e, nesse sentido, se faz necessária a desconstrução e/ou ressignificação do papel do executivo, de modo que ele possa conviver nos dois mundos e, assim, potencializar resultados no CNPJ de outrem.

O fato é que se deve provocar esse caminho de mudança e mostrar a ponte que une o universo executivo ao universo empreendedor, de modo a preparar a nova geração – ou reformar a anterior – para um novo mundo, digital e empreendedora. Diante desses cenários, é preciso se desprender de vários pensamentos e comportamentos, tendo atitude e ousadia, para ser dono do próprio destino, considerando a disrupção do mercado atual: é isso que resume a filosofia BeBold, que engloba também um método para orientá-lo nessa jornada e que será explicada no decorrer deste texto.

Com a experiência real de quem não só já cruzou o abismo entre o mundo executivo e o mundo empreendedor, como também construiu uma ponte entre eles, meu objetivo é mostrar que é possível adaptar-se a este novo "mundo VUCA" (sigla em inglês para *Volatility, Uncertainty, Complexity* e *Ambiguity*, cunhada pelo U.S. Army College), isto é, um ambiente de volatilidade, incerteza, complexidade e ambiguidade – seja você um executivo de sucesso que sonha se tornar empreendedor e viver o melhor de sua vida; ou um "empreendedor raiz" que precisa de *skills* executivos diante do crescimento de sua *startup* e das rodadas de investimento nela.

Tenho plena convicção de que, ao final deste capítulo, os leitores terão os recursos teóricos necessários para correr atrás de seus sonhos – com método, planejamento e inspiração. Estarão, também, prontos para sair de suas zonas de conforto, perceber a necessidade de renunciar a certezas que não lhes servem mais e enfrentar os medos que os impedem de seguir o caminho da mudança e da elevação do patamar de suas conquistas.

Construindo seu próprio caminho

O que proponho, em um primeiro momento, é a apresentação de um mapa para aqueles que desejam empreender nesse universo desafiador, cheio de transformações e oportunidades, mas, também, de incertezas. Essa rota para a abertura de caminhos serve tanto para jovens empresários que já nasceram dentro de um ecossistema de negócios e soluções tecnológicas – os chamados nativos digitais –, quanto para executivos que estão planejando uma transição de carreira e desejem se aprofundar nas características desse novo e instigante mercado.

Aqui, contarei um pouco sobre minha própria história e sobre como trilhei, em minha jornada profissional, esse processo de transição de uma vida executiva para uma vida empreendedora.

Após uma sólida carreira como executivo no mercado de tecnologia, desde 2015, tenho me dedicado de modo mais exclusivo ao empreendedorismo e à área de investimentos para a aceleração de novos negócios que podem contribuir com o fortalecimento da economia brasileira. Em ambos os cenários, pude compreender a importância da incerteza como uma força capaz de nos mover de nossas zonas de conforto, estimular o crescimento profissional, pessoal e impulsionar o surgimento da inovação. Por um bom tempo, mantive os pés em dois botes, atuando formalmente em empresas, enquanto testava ideias, investia em sociedades, negócios próprios e explorava estratégias e metodologias que aumentassem minhas chances de ter sucesso no mercado.

Em outras palavras: você não precisa, necessariamente, largar tudo para abraçar o sonho de empreender. Cada um tem seu tempo, seu ritmo, e assumir riscos não significa ignorar a sua realidade e seu contexto de vida.

No livro *Rework* (Sextante, 2012), Jason Fried, escritor e fundador da empresa de tecnologia Basecamp, explica, por exemplo, como você pode utilizar a renda de seu emprego como fonte de capital de giro para começar seu negócio. E ele vai além: no ambiente de negócios digital, é possível contar com uma série de ferramentas gratuitas ou de baixo custo para estruturar sua empresa.

Nesse novo contexto, em diversos mercados, você não precisará sequer de um escritório físico, uma vez que os modelos de *home office* e de *work from anywhere* ("trabalhe de qualquer lugar") já são uma possibilidade consolidada no Brasil e no mundo. Um estudo com a consultoria de Robert Half, divulgado em 2021, apontou, por exemplo, que o modelo *work from everywhere* seguirá como uma tendência sólida, bem como a busca por *skills* analíticos e pelo domínio de indústrias de tecnologia, *e-business* e serviços financeiros – que, hoje, como sabemos, são fortemente baseadas na inovação.

Claro que esse processo de transição pode levar mais ou menos tempo, a depender de seu perfil e objetivos.

E de onde virá o capital?

É aqui que mora o pulo do gato e, ao mesmo tempo, a confusão de muitos: como toda decisão importante dentro de uma carreira, a escolha pelo empreendedorismo exige visão estratégica e planejamento – e isso não necessariamente implica em um grande montante de capital inicial para se abrir um negócio ou, para ser mais preciso, esse capital não precisar partir inteiramente do seu bolso.

Alguns segmentos demandarão, sim, mais investimentos e um vasto volume de capital para a abertura da empresa. Porém, mesmo nesses cenários, o dinheiro não necessariamente precisa sair do seu bolso – ou ao menos não inteiramente. Pensemos, por exemplo, nas possibilidades de investimentos de uma *startup*, que, geralmente, são divididas em um ciclo de quatro etapas – mas que podem ser acessados em momentos distintos do negócio: FFF (*family, friends and fools*); Anjos, *Smart Money, Seed* e *Equity Crowdfunding*; Séries A, B, C, D e até E no processo de *growth*; *Private Equity*, M&A e IPO.

Em todas essas fases, há fontes de capital disponíveis para quem contar com um bom planejamento e visão estratégica do mercado. E, por planejamento, considere estudar com profundidade o segmento no qual deseja empreender, adquirir as competências essenciais para ter mais chances de sucesso naquele mercado, avaliar a necessidade (e possibilidades de investimento), buscar parceiros, fortalecer suas redes de contato e testar ideias.

Quebrando mitos do empreendedorismo

No mundo dos empreendedores, é preciso nadar contra a corrente e desmistificar conceitos que, até hoje, são fortemente difundidos nesse meio. Por exemplo, só se abre um negócio com muito dinheiro; empreendedores só têm sucesso se forem brilhantes; o erro, dentro de uma jornada empreendedora, é fatal e pode custar caro; empreendedorismo é coisa de jovem.

Gostaria, agora, de destacar dois desses mitos, que chamarei de **mito da genialidade** e do **mito do medo de falhar.**

O mito da genialidade se dissolve quando pensamos em empresas sólidas que trabalham com inovações incrementais ou mesmo os pequenos negócios que prosperam no seu bairro. E, aqui, vale uma rápida explicação: adaptar-se a um mercado disruptivo não significa, necessariamente, ser o mais original dos empreendedores, mas absorver as oportunidades que esse novo mundo oferece e que, muitas vezes, estão disponíveis facilmente.

Assim, um pequeno negócio pode contar, hoje em dia, com ótimas ferramentas para gestão financeira ou para se conectar com seus clientes de modo mais ágil, por exemplo. Claro que é muito instigante buscar a próxima grande ideia do mercado, mas não faça desse pressuposto uma barreira para que você deixe de seguir seu objetivo de empreender.

O mito do medo de falhar, por sua vez, é um dos principais (senão o principal) bloqueio que precisa ser vencido não só em nossas carreiras, mas em nossas vidas. Que o erro seja abraçado como uma fonte de aprendizado e que o dito fracasso não seja uma razão para que você desista de seus sonhos: essa é outra das bases da filosofia BeBold.

E quanto a hora de dar o primeiro passo: partindo do princípio que desenhamos juntos, aqui, de que você não precisa abandonar tudo para começar, que tal hoje?

Cada trajetória empreendedora é singular e não existe uma fórmula única para o sucesso. Assim, um dos objetivos da filosofia BeBold é que você se inspire e adapte as reflexões aqui traçadas para a sua própria realidade.

Seja BeBold

A filosofia BeBold o ajuda em sua estruturação na nova trajetória dentro do empreendedorismo, e algumas das etapas centrais para esse processo, irei apresentar brevemente a seguir.

1» Entender o cenário atual

Ao olhar para dentro (sua realidade profissional) e para fora (a realidade do mercado), você poderá ter uma percepção mais clara sobre seus desafios e os objetivos que deseja alcançar.

2» Livrar-se de velhos paradigmas

A transformação do mercado é uma realidade. Considerando esse contexto, reforço a ideia de que uma atitude de autotransformação é essencial para que o profissional se mantenha relevante e motivado. Neste passo, vamos superar o *status quo* e destacar os diferentes caminhos que podem levar um indivíduo a empreender ou a intraempreender.

3» Olhar para o mercado digital

É importante analisar o perfil dos novos empreendedores ou intraempreendedores de sucesso e as exigências do ambiente contemporâneo de negócios, de modo que os indivíduos possam obter *insights* voltados para sua realidade profissional.

4» *Lifelong learning* e busca por inspiração

Aqui, é imprescindível a aquisição de novos conhecimentos, com destaque para o papel fundamental do aprendizado contínuo dentro da filosofia BeBold de transformação de carreiras. Salienta-se, também, a importância da busca por fontes de inspiração em outras lideranças, livros, pesquisas e tecnologias, para nos mantermos antenados com o mercado e abraçarmos plenamente a atitude de autotransformação.

5» *Skin in the game*

Essa é uma nova abordagem sobre os conceitos de risco e de incerteza – que será mais explorada em outros projetos – voltada para profissionais experientes que desejam inovar e dar novos passos em suas carreiras.

6» Pronto para o novo

Por meio da aplicação e do entendimento de todos os passos, você estará pronto para seguir rumo a seus objetivos de carreira.

A coragem de dar o primeiro passo

Como mencionei, minha transição foi fruto de pesquisas e do acompanhamento contínuo do mercado – mas, sobretudo, da experiência de quem viveu e vive na pele os desafios, as angústias e as alegrias de empreender em um ambiente de negócios no qual a única certeza é a de que tudo é mutável.

A própria ideia de emprego e de um mercado de trabalho tradicional vive um processo claro de quebra de paradigmas. Diante do avanço das novas tecnologias de gestão de projetos, do advento de ferramentas de comunicação ágeis e do próprio contexto de um mercado mais colaborativo e globalizado, a ruptura dos limites dos escritórios já se mostrava ser apenas uma questão de tempo, como apontado anteriormente.

Além disso, cabe destacar que a percepção de que, ao abraçarmos uma carreira executiva, necessariamente minimizaremos os riscos inerentes a uma vida empreendedora, não é só obsoleta, mas errônea. Primeiramente, porque, no avançar de uma carreira, temos de competir com profissionais mais jovens, cheios de ímpeto e de ideias transformadoras; em segundo lugar, porque os melhores líderes – independentemente da faixa etária – são sempre aqueles capazes de assumir riscos, de desenvolver novos projetos e de estimular o crescimento de suas equipes; mas, principalmente, são aqueles que estão dispostos a implementar mudanças voltadas à manutenção da relevância das empresas nas quais eles atuam.

    O ensaísta líbano-americano Nicholas Nassim Taleb resumiu muito bem esse contexto ao afirmar que a incerteza é algo presente, desejável e necessário para a evolução. Quando nos desafiamos e saímos de nossas zonas de conforto, em busca de aprimoramento e à procura dos elementos necessários para que conquistemos nossos objetivos, ficamos frente a frente com diversas incertezas – e todo esse processo pode ser considerado evolutivo.

    Diante dessa realidade, posso afirmar que a ousadia se faz necessária. Portanto, BeBold!

UM DOS OBJETIVOS DA FILOSOFIA BEBOLD É QUE VOCÊ SE INSPIRE E ADAPTE AS REFLEXÕES AQUI TRAÇADAS PARA A PRÓPRIA REALIDADE.

Susana Cintra

Pós-graduada em Administração, com ênfase em Marketing e Recursos Humanos. Com 35 anos de experiência em Gestão, Estratégia e Marketing, Susana levou, em apenas quatro anos, sua empresa ao primeiro lugar em vendas em seu setor no Brasil e esse mesmo empreendimento venceu o Troféu Ruy Ohtake de Melhor Empresa em Conceito e Imagem por oito anos consecutivos. Ela é criadora do modelo de gestão empresarial Só Contrate Vendedor e do projeto interno de gestão empresarial Empresa com Alma de Vendedor. Palestrante contratada pela agência Polo Palestrantes, Susana também trabalha como autora pela Editora Gente.
Instagram: @susanacintra
Facebook: /susanacintra
YouTube: Susana Cintra
LinkedIn: Susana Cintra
E-mail: falecom@susanacintra.com.br

Leonardo Paiva

Paixão pelo propósito

O cerne de uma ação ou de um empreendimento – ou seja, aquilo que dá direção e energia para que ele alcance o sucesso – é o propósito. A maioria das empresas tem seu propósito descrito, mas, quase sempre, trata-se de um propósito sem real significado para o empresário. É comum vermos propósitos escritos pelos departamentos de Recursos Humanos ou de Marketing, sem que o empresário principal participe efetivamente dessa produção.

Isso, porém, é um equívoco grave, com sérios prejuízos à gestão do próprio empresário – uma vez que é ele a figura central da empresa e, como líder principal, deveria ser também o maior responsável por disseminar o propósito de seu empreendimento entre todos os colaboradores, contagiando-os com a paixão e o significado desse propósito. A distância entre o propósito da empresa e o do empresário abre caminho para gestões paralelas, que fogem da base na qual o propósito do empresário está calcado. Assim, a empresa fica sem identidade e não consegue fidelizar nem seus colaboradores, nem seus clientes – caindo na "vala comum", sendo apenas mais uma a figurar no mercado.

De acordo com o que observei durante meus anos de atuação, também ocorre de o gestor depositar todas as responsabilidades pelas vendas da empresa apenas na equipe responsável por essas ações, de modo que esse departamento figura, em última instância, como único responsável tanto pelo fracasso da empresa, como por seu sucesso. Negligencia-se, assim, a competência dos colaboradores das demais áreas, isentando-os tanto dos resultados negativos, como dos positivos. A principal consequência desses fatores é esses colaboradores das outras áreas se sentirem excluídos, sem importância, ficando cada dia mais desmotivados e, nesse processo, apresentarem resultados cada vez mais diminutos.

Todo esse cenário acaba por gerar sérios conflitos e disputas entre as equipes. Pior ainda: o gestor desperdiça o potencial dos colaboradores, minando a energia criadora do próprio negócio. Como consequência, instalam-se os sentimentos de frustração e de fracasso na empresa de uma forma geral, como se todos estivessem caminhando a esmo, sem saírem do lugar.

Constantemente, os gestores elaboram planos ou projetos sem a chancela do propósito. Repetem velhas ações de mercado, sem nenhuma razão forte que estimule os colaboradores a atuarem com a energia necessária para obter resultados realmente positivos e impactantes. Tais gestores não percebem que estão apenas promovendo e reforçando o ciclo da escassez e desmotivando, por completo, suas equipes. Na tentativa de encontrar uma solução rapidamente, lançam mão de ação atrás de ação, caindo, muitas vezes, na armadilha de copiar o que está dando certo para seus concorrentes, alimentando uma cultura de repetição – cada negócio tem sua particularidade, e o que traz sucesso para um, não necessariamente trará para outro. Dessa maneira, o sentimento de frustração e

Paixão pelo propósito

fracasso chega também aos gestores, o que reforça que a empresa, progressivamente, caminhe mais distante de seu próprio propósito.

Nessa busca incessante por resultados a qualquer custo, outra ação que também ocasiona sensações de frustração e fracasso são as desastrosas vendas promocionais. Tal estratégia, na verdade, compromete ainda mais os números, pois, além de mascará-los, prejudica significativamente os resultados seguintes a ela.

Portanto, quando o propósito do negócio não tem significado real para o empresário, a estagnação se instala de uma forma geral no empreendimento dele, porque o que faz uma empresa ser **única** e **próspera** é ter um propósito igualmente **único** e **forte**.

Há três motivos para essa desconexão entre o propósito da empresa e o empresário: ou o ele tem dificuldades para identificar ou elaborar seu propósito; ou acha que o propósito não tem a importância devida; ou está no negócio errado. Quando um desses fatores ocorre, o empresário não consegue se apaixonar de verdade por seu próprio propósito e, consequentemente, deixa de criar a força e a energia propulsora necessárias para contagiar os colaboradores e clientes. Sem essa energia, a empresa fica sem vida própria e, consequentemente, se torna incapaz de engajar esses dois grupos e, assim, de gerar resultados positivos.

Um empresário não apaixonado pelo propósito de seu empreendimento tende a implementar uma gestão rasa, baseada apenas em números, bem distante da cultura de resultados pautada pelos significados de cada ação. Prevalece a quantidade e não a qualidade. Quanto mais, melhor, não importa a que custo. Esse panorama, por sua vez, quase sempre gera um ambiente de trabalho nocivo, reforçando o ciclo da escassez na empresa e a colocando cada vez mais distante do ciclo da prosperidade.

Sair desse quadro se trata, em essência, de uma questão de fidelidade. Se você quer clientes fidelizados e apaixonados por seus produtos e por sua empresa, é preciso, antes de qualquer coisa, ter todos os seus colaboradores também fidelizados e apaixonados por seus trabalhos. Não há como conquistar bons resultados externos sem, antes, fazer um forte trabalho interno de base. Nesse sentido, é preciso fortalecer, de imediato, sua base, alimentando-a dia a dia, com valores e significados norteados pelo seu propósito.

É desse trabalho de base que dependerá o sucesso ou o fracasso de seu empreendimento. Quanto mais você conseguir nutrir sua base, melhores serão os resultados. É imprescindível trabalhar incessantemente nessa formação – senão, você viverá, constantemente, corrigindo erros e falhas, com grande chance de se perder pelo caminho. Só uma base verdadeiramente sólida pode servir de alicerce para um grande projeto, que contagie e fidelize pessoas, clientes, fornecedores e todo o espectro da atividade exercida por sua empresa, de modo a construir uma real história de sucesso.

219

Para realizar o trabalho de base a que me refiro, é preciso, primeiramente, fazer um alinhamento estratégico – a ser compartilhado, em seguida, com todos os colaboradores do empreendimento, conforme explicado a seguir.

1» Alinhamento estratégico

O alinhamento estratégico e sistêmico deve ser baseado no propósito do negócio – que, por sua vez, como enfatizado anteriormente, tem que necessariamente estar conectado à paixão e ao envolvimento do próprio empresário, só assim o projeto terá o peso e a força necessários para que ganhe vida própria. A definição desse propósito é um momento crucial para o empresário, sem isso, o projeto fica comprometido e nada acontecerá. Além disso, é a hora perfeita para fazer todas as mudanças e ajustes necessários no propósito – ou até mesmo o remodelar totalmente, começando do zero. O importante é que o propósito do empreendimento faça os olhos de todos os envolvidos brilharem e seus corações pulsarem.

2» Compartilhamento do propósito com todos os colaboradores

Para angariar a paixão dos colaboradores pelo projeto e seu comprometimento com ele, é preciso compartilhar o propósito com essas pessoas. É preciso deixar claro para elas a importância da contribuição de cada uma, de maneira que se percebam como partes tão essenciais para o projeto que passem a sentir que o propósito não é apenas da empresa – mas também delas próprias.

Uma dica para se construir um propósito é você começar com um verbo, não um verbo qualquer, mas um verbo "virtuoso", como: **contribuir**, **somar**, **multiplicar**, **valorizar** etc. A partir dele você completa a frase com o que você pretende gerar para as pessoas/mundo. Lembrando que isso é uma dica para facilitar a construção do propósito e não uma regra.

Outra informação importante é que, apesar da importância de o propósito nascer da alma do empresário, ele precisa necessariamente ser construído junto com seus colaboradores. É a partir dessa dinâmica que eles passam a sentir que também fazem parte desse propósito, que se envolvem, se apaixonam e se comprometem.

Nessa construção em equipe está a força do seu propósito, que faz ele ser único, mágico e poderoso!

Garantir que os colaboradores sejam apaixonados e envolvidos pelo propósito é o elo que unirá todo o espectro de seu empreendimento: clientes, fornecedores, parceiros, comunidade e meio ambiente. A força dessa cadeia promove, naturalmente, resultados positivos.

Seguindo essa lógica, não será mais necessário ir em busca de promoções ou de ações que geram nada mais do que números, porque a força do mencionado espectro irá gerar verdadeiros valores – e é isso que não tem preço. Você ativará o ciclo da prosperidade, no qual o valor gera resultado por causa de seu significado. É uma energia que vibra e pulsa livremente, além de caminhar de forma orgânica, ajudando a construir a verdadeira história de sua empresa e, também, a impulsionar o mundo.

HISTÓRIA PESSOAL

Criei esse método em um momento decisivo em minha vida. Após ter tido um câncer no estômago e ter sido desenganada pelos médicos, tirei um projeto da gaveta e disse a mim mesma: "Vou fazer desse o melhor projeto da minha vida!".

O projeto era fazer uma escola para crianças carentes, que concebi como se fosse fundá-la para meus próprios filhos. O propósito da escola era a "Construção integral do Ser", não era um simples projeto de alfabetização, mas sim de **educação**, cujo conceito era baseado em três pilares: corpo, mente e alma.

Conhecíamos a história e a família de cada aluno, seus traumas, bloqueios, problemas de saúde e paixões. Em relação aos colaboradores, sua missão era que todos fossem, antes de qualquer coisa, **educadores**, independentemente de sua função secundária – fosse ela cozinheira, faxineira ou porteiro. Como eu não podia estar diariamente na escola, precisei fazê-los se apaixonarem fortemente pelo propósito dela, de forma a garantir que o projeto desse certo. Os resultados com as crianças e seus familiares foram incríveis e, como consequência de nosso sucesso, a escola foi considerada Modelo pelo Sistema COC de Educação (projeto NAME).

Após isso, tive uma "luz" e me conscientizei de que havia criado um modelo inédito de gestão. Resolvi, então, implementar esse modelo de gestão – baseada no propósito – em minha indústria de aquecedor solar. Por meio dessa inserção, todos os colaboradores foram transformados em **vendedores**, e obtivemos resultados excelentes. Já éramos líderes em vendas no nosso setor no Brasil e, somado a isso, tivemos um crescimento médio anual de 38% a partir do ano em que o modelo foi implementado. Esse desempenho nos levou a receber o Troféu Ruy Ohtake de Melhor Empresa em Conceito e Imagem por oito anos consecutivos.

Essa experiência de sucesso e seus desdobramentos me levaram a exaltar a relevância do propósito. Por isso, posso afirmar com segurança: apaixone-se profundamente pelo seu propósito. Faça sua gestão com a força dessa paixão e terá uma legião de apaixonados, vendendo e compartilhando seu propósito – ativando, assim, o precioso ciclo da prosperidade.

Não conseguimos nada sozinhos nessa vida. Para realizarmos nossos sonhos e atingirmos nossos objetivos, precisamos sempre de pessoas ao nosso lado. Quando percebemos que a paixão tem uma força ímpar e contagiante, entendemos que é somente por meio dela que conseguiremos ter um norte poderoso e construir um caminho claro de transformação de nosso propósito em passos rumo à materialização de nossos sonhos: nossos projetos saem do papel, ganham vida própria, geram valores e contagiam as comunidades.

Os empresários que não querem ser apenas mais um número neste mundo e desejam, de fato, fazer a diferença com seus negócios precisam se preparar urgentemente para gerar valores e não mais venderem apenas produtos – mas, sim, benefícios e a possibilidade de realizar sonhos. Desse modo, irão criar empresas que fazem história e que geram riquezas para seus colaboradores, clientes e, consequentemente, para toda a sociedade.

APAIXONE-SE PROFUNDAMENTE POR SEU PROPÓSITO. FAÇA SUA GESTÃO COM A FORÇA DESSA PAIXÃO E TERÁ UMA LEGIÃO DE APAIXONADOS, VENDENDO E COMPARTILHANDO SEU PROPÓSITO E, ASSIM, ATIVANDO O PRECIOSO CICLO DA PROSPERIDADE.

CARO LEITOR,

Queremos saber sua opinião sobre nossos livros.
Após a leitura, curta-nos no facebook.com/editoragentebr,
siga-nos no Twitter @EditoraGente e
no Instagram @editoragente
e visite-nos no site www.editoragente.com.br.
Cadastre-se e contribua com sugestões, críticas ou elogios.